Trombone

John Kember & Simon Tate-Lovery

Trombone Sight-Reading

Déchiffrage pour le trombone
Vom-Blatt-Spiel auf der Posaune

A fresh approach
Nouvelle approche
Eine erfrischend neue Methode

ED 13622
ISMN 979-0-2201-3451-7
ISBN 978-1-84761-296-0

www.schott-music.com

Mainz · London · Madrid · New York · Paris · Prague · Tokyo · Toronto
© 2014 SCHOTT MUSIC Ltd, London • Printed in Germany

ED 13622

British Library Cataloguing-in-Publication Data.
A catalogue record for this book is available from the British Library
ISMN 979-0-2201-3451-7
ISBN 978-1-84761-296-0

© 2014 Schott Music Ltd, London.

All rights reserved. No part of this publication may be reproduced, stored in
a retrieval system, or transmitted, in any form or by any means, electronic, mechanical,
photocopying, recording or otherwise, without prior written permission from
Schott Music Ltd, 48 Great Marlborough Street, London W1F 7BB

French translation: Michaëla Rubi
German translation: Heike Brühl
Music setting and page layout by Bev Wilson
Cover Design by www.adamhaystudio.com
Printed in Germany S&Co.8935

Contents
Sommaire/Inhalt

Preface ... 5	Préface ... 6	Vorwort ... 7
To the pupil: why sight-reading? ... 5	A l'élève : Pourquoi le déchiffrage ? ... 6	An den Schüler: Warum Vom-Blatt-Spiel? ... 7

Section 1:
Notes B♭, D and F ... 8
Solos ... 8
Duets ... 10
Accompanied pieces ... 11

Section 2:
Notes B♭ to F and middle B♭, 4/4 and 3/4 time with ♩., key of B♭ major ... 12
Solos ... 12
Duets ... 14
Accompanied pieces ... 15

Section 3:
Range one octave from B♭ to B♭ with new notes G, A and A♭ and the new keys of F and E♭ majors and ♫ ... 16
Solos ... 17
Duets ... 19
Accompanied pieces ... 20

Section 4:
Range B♭ to D, new keys C and G majors, E and D minors and new notes F♯ and C♯. Introducing ♩. ♪♩ in 3 and 4 time and basic dynamics of f and p ... 21
Solos ... 22
Duets ... 24
Accompanied pieces ... 25

Section 5:
Range extended up to F. New keys of D and A♭ majors, G and B minors. New time signatures of 3/8 and 6/8. Tempo and performance directions introduced ... 27
Solos ... 28
Duets ... 34
Accompanied pieces ... 35

Section 6:
Introduces the new key of A major, 9/8 and 5/4 time, syncopation in 3 and 4 time and the tenor clef ... 36
Solos ... 37
Duets ... 42
Accompanied pieces ... 44

Section 1 :
Notes *si*♭, *ré* et *fa* ... 8
Solos ... 8
Duos ... 10
Pièces avec accompagnement ... 11

Section 2 :
Notes *si*♭ à *fa* et *si*♭ médian, mesures à 4/4 et 3/4 avec ♩., tonalité de *si*♭ majeur ... 12
Solos ... 12
Duos ... 14
Pièces avec accompagnement ... 15

Section 3 :
Étendue d'une octave, de *si*♭ à *si*♭ avec les nouvelles notes de *sol*, *la* et *la*♭ et les nouvelles tonalités de *fa* et *mi*♭ majeur et ♫ ... 16
Solos ... 17
Duos ... 19
Pièces avec accompagnement ... 20

Section 4 :
Étendue de *si*♭ à *ré*, nouvelles tonalités de *do* et *sol* majeur, *mi* et *ré* mineur et nouvelles notes *fa*♯ et *do*♯. Introduction de la cellule rythmique ♩. ♪♩ en mesure à 3 et 4 temps et des indications dynamiques de base f et p ... 21
Solos ... 22
Duos ... 24
Pièces avec accompagnement ... 25

Section 5 :
Étendue jusqu'au *fa*. Nouvelles tonalités de *ré* et *la*♭ majeur, *sol* et *si* mineur. Nouvelles mesures à 3/8 et 6/8. Introduction des indications de tempo et de jeu ... 27
Solos ... 28
Duos ... 34
Pièces avec accompagnement ... 35

Section 6 :
Introduit les nouvelles tonalité de *la* majeur, les mesures à 9/8 et 5/4, les syncopes en mesure à 3 et 4 temps et la clé de *sol* 4e ... 36
Solos ... 37
Duos ... 42
Pièces avec accompagnement ... 44

Teil 1:
Die Noten B, D und F ... 8
Solos ... 8
Duette ... 10
Begleitete Musikstücke ... 11

Teil 2:
Die Noten B bis F, das mittlere B, 4/4- und 3/4-Takt mit ♩., die Tonart B-Dur ... 12
Solos ... 12
Duette ... 14
Begleitete Musikstücke ... 15

Teil 3:
Der Tonumfang beträgt jetzt eine Oktave von B bis B. Die neuen Noten G, A und As sowie die neuen Tonarten F- und Es-Dur sowie ♫ werden eingeführt ... 16
Solos ... 17
Duette ... 19
Begleitete Musikstücke ... 20

Teil 4:
Tonumfang von B bis D; die neuen Tonarten C- und G-Dur, e- und d-Moll sowie die neuen Töne Fis und Cis werden eingeführt. Einführung von ♩. ♪♩ im 3/4- und 4/4-Takt und der einfachen dynamischen Zeichen f und p ... 21
Solos ... 22
Duette ... 24
Begleitete Musikstücke ... 25

Teil 5:
Der Tonumfang wird bis F erweitert. Neue Tonarten sind D- und As-Dur sowie g- und h-Moll. Neue Taktarten: 3/8 und 6/8. Tempo- und Vortragsangaben werden eingeführt ... 27
Solos ... 28
Duette ... 34
Begleitete Musikstücke ... 35

Teil 6:
Enthält die neuen Tonart A-Dur, den 9/8- und 5/4-Takt sowie den Tenorschlüssel ... 36
Solos ... 37
Duette ... 42
Begleitete Musikstücke ... 44

Section 7:
New keys: E and D♭ major, F and F♯ minor. Range extends from low F to high G. Further use of tenor clef and introducing ♫♫'s 46
Solos 47
Duets 51
Accompanied pieces 52

Section 8:
Range: low F to high A♭. New keys: A♭ and B♭ majors, C♯ and G♯ minors. Pentatonic and Dorian modes. Swing rhythms 53
Solos 54
Duets 60
Accompanied pieces 62

Section 9:
5/8, 7/4 and 7/8 time.
Keys of up to 5 sharps and flats 64
Solos 64
Duets 69
Accompanied pieces 72

Section 10:
Various styles and modes in both bass and tenor clefs. The double flat 73
Solos 74
Duets 80
Accompanied pieces 82

Section 11:
All keys and all styles.
Full range of notes and tonalities 84
Solos 85
Duets 91
Accompanied pieces 94

Section 7 :
Nouvelles tonalités : *mi* et *ré*♭ majeur, *fa* et *fa*♯ mineur. Étendue du *fa* grave au *sol* aigu. Utilisation de la clé d'*ut* 4e et introduction des ♫♫ 46
Solos 47
Duos 51
Pièces avec accompagnement 52

Section 8 :
Étendue du *fa* grave au *la*♭ aigu. Nouvelles tonalités : *la*♭ et *si* majeur, *do*♯ et *sol*♯ mineur. Modes pentatonique et dorien. Rythmes swing 53
Solos 54
Duos 60
Pièces avec accompagnement 62

Section 9 :
Mesures à 5/8, 7/4 et 7/8. Tonalités comportant jusqu'à 5 dièses ou bémols . 64
Solos 64
Duos 69
Pièces avec accompagnement 72

Section 10 :
Styles et modes variés en clé de *fa* et en clé d'*ut* 4e. Double dièse 73
Solos 74
Duos 80
Pièces avec accompagnement 82

Section 11 :
Éventail complet des notes.
Des styles et des tonalités 84
Solos 85
Duos 91
Pièces avec accompagnement 94

Teil 7:
Neue Tonarten: E- und Des-Dur, f- und fis-Moll. Der Tonumfang wird vom tiefen F zum hohen G erweitert. Weitere Verwendung des Tenorschlüssels und Einführung von ♫♫'s 46
Solos 47
Duette 51
Begleitete Musikstücke 52

Teil 8:
Tonumfang: vom tiefen F bis zum hohen As. Neue Tonarten: As- und H-Dur, cis- und gis-Moll. Pentatonik und dorischer Modus. Swing-Rhythmen 53
Solos 54
Duette 60
Begleitete Musikstücke 62

Teil 9:
5/8-, 7/4- und 7/8-Takt. Tonarten mit bis zu fünf Kreuzen und Bes 64
Solos 64
Duette 69
Begleitete Musikstücke 72

Teil 10:
Verschiedene Stile und Modi im Bass- und Tenorschlüssel. Das Doppel-Be . . . 73
Solos 74
Duette 80
Begleitete Musikstücke 82

Teil 11:
Alle Tonarten und Stile. Gesamter Tonumfang und alle Tonarten 84
Solos 85
Duette 91
Begleitete Musikstücke 94

Preface

Trombone Sight Reading aims to establish good practice and provide a comprehensive source of material to enable the player to prepare for this most important skill. Ideally, sight-reading in some form should become a regular part of a student's routine each time they play.

This book offers the opportunity to establish the habit from the earliest stages of playing and follows a logical sequence of progression in range of notes, variety of times, keys and rhythms to cover the while spectrum of trombone playing.

A glossary of musical terms is provided to help the student learn them and those used are given at the introduction to each section.

There are 11 sections beginning with the notes B♭, D and F and with basic note values. Phrasing, dynamics, rhythms and articulations are introduced gradually as are terms of tempo and expression. The emphasis is on providing idiomatic tunes and structures rather than sterile sight-reading exercises. Each section begins with several solo examples and concludes with duets and an accompanied piece, enabling the player to gain experience of sight-reading within the context of ensemble playing.

The value of duets in this book cannot be over emphasised as it gives the opportunity to listen to another player, aids good time keeping and assists with intonation and the development of a good tone. The final pieces at the end of each section offer the chance to read a short piece with a piano accompaniment.

Section 1 starts with the notes B♭, D and F together with simple rhythms and time signatures.

Section 2 uses the notes B♭ to F with the addition of middle B♭ in the key of B♭ major and introduces 3 time and the dotted minim.

Section 3 introduces the new keys of F and E♭ major together with new notes: G, A and A♭ and quavers in pairs.

Section 4 extends the range to 10 notes from B♭ to D with the addition of the new keys of C and G major, E and D minor, together with new notes F♯ and C♯. Basic dynamics are added together with the dotted rhythm in both 3 and 4 time. (♩. ♪ ♩)

Section 5 four new keys are introduced: D and A♭ majors, G and B minors together with new notes of A, A♯, E, E♭, A♭, F, G and D♭. The time signature of 3/8 in used as preparation for the compound time of 6/8, and the range extends from low G to high F.

Section 6 a further 2 keys – A major and C minor – are introduced along with the time signatures of 9/8 and 5/4. Simple syncopations in 3 and 4 time and the Tenor clef used for the first time.

Section 7 begins with the introduction of ♬♬'s and further use is made of the tenor clef. The new keys of D♭ and E majors, F and F♯ minors and the range is extended further from low F to high G.

Section 8 takes the range from low F to A♭ with new keys of C♯ minor, B major and G♯ minor. Pentatonic and Dorian mode tonalities are introduced as are swing rhythms.

Section 9 employs all major and minor keys with up to 5 sharps and flats together with the new times of 5/8, 7/8 and 7/4.

Section 10 uses a wide range of notes and times with a variety of styles and tonalities in both Bass and Tenor clef.

Section 11 utilises all keys and a variety of styles and tonalities including modal and atonal, and uses both double sharps and flats.

To the pupil: why sight-reading?

Apart from the fact that some examination boards require a test in reading at sight, whenever you are faced with a new piece, whether at home or in a lesson or audition, there is no one there to help you – only yourself! The ability to read the time and notes correctly and to observe the phrasing and dynamics quickly is probably the most important skill for you to acquire.

The aim of this book is to help you to teach yourself. The book gives guidance on what to look for and how best to prepare in a very short time by observing the time and key signature, the shape of the melody and the marks of expression. These short pieces progress gradually to help you build up your confidence and observation and enable you to sight-read accurately. At the end of each section there are duets to play with your teacher or friends and pieces with piano accompaniment, which will test your ability to sight-read while something else is going on. This is a necessary skill when playing with a band, orchestra or other ensemble.

If you sight-read something every time you play your trombone you will be amazed how much better you will become. Remember, if you can sight-read most of the tunes you are asked to learn you will be able to concentrate on the 'tricky-bits' and complete them quickly.

Think of the tunes in this book as 'mini-pieces' and try to learn them quickly and correctly. Then when you are faced with real sight-reading you will be well equipped to succeed at the first attempt.

You are on your own now!

Préface

Ce recueil de « Déchiffrage pour le trombone » a été conçu afin de favoriser la mise en place de bonnes pratiques et de proposer une source complète de matériaux permettant à l'instrumentiste de se préparer à cette compétence particulièrement importante. Idéalement, quelle qu'en soit la forme, le déchiffrage devrait faire partie intégrante des exercices pratiqués par les élèves à chaque fois qu'ils prennent leur instrument.

Cet ouvrage offre l'occasion d'instaurer l'habitude du déchiffrage dès les premiers stades de la pratique instrumentale. Il suit une séquence logique de progression en termes de notes, tempos, tonalités et rythmes, et aborde tous les aspects de la pratique du trombone.

Un glossaire des termes musicaux permet aux élèves de se les approprier. Les termes utilisés sont indiqués au début de chaque section.

Les sections sont au nombre de onze, commençant sur les notes *si*♭, *ré* et *fa* et avec des valeurs de notes basiques. Le phrasé, les nuances, le rythme et les articulations sont introduits progressivement ainsi que les indications de tempo et d'expression. L'accent a été mis sur des airs et des structures idiomatiques plutôt que sur des exercices stériles de déchiffrage. Chaque partie commence par différents exemples pour trombone seul et se termine par des duos et une pièce accompagnée, permettant ainsi à l'instrumentiste d'acquérir l'expérience du déchiffrage dans le contexte de la musique d'ensemble.

On ne soulignera jamais assez l'importance des duos figurant dans ce recueil, car ils sont l'occasion d'écouter un autre instrumentiste et favorisent la régularité du tempo ainsi que la justesse de l'intonation et le développement d'un joli son. Les pièces situées à la fin de chaque section permettent de déchiffrer une pièce courte avec accompagnement de piano.

La section 1 commence par les notes *si*♭, *ré* et *fa* sur des rythmes et des mesures simples.

La section 2 utilise les notes de *si*♭ à *fa* en ajoutant le *si*♭ médian dans la tonalité de *si*♭ majeur. Elle introduit la mesure à trois temps et la blanche pointée.

La section 3 introduit les nouvelles tonalités de *fa* et *mi*♭ majeur ainsi que de nouvelles notes : *sol*, *la* et *la*♭, et les croches par paires.

La section 4 porte l'étendue des notes à 10, du *si*♭ au *ré*, en ajoutant les tonalités de *do* et *sol* majeur, *mi* et *ré* mineur et les notes *fa*♯ et *do*♯. Des nuances de bases ainsi que les rythmes pointés sont abordés dans la mesure à deux temps et à trois temps. (♩. ♪ ♩)

La section 5 introduit quatre nouvelles tonalités : *ré* et *la*♭ majeur, *sol* et *si* mineur, ainsi que les notes *la*, *la*♯, *mi*, *mi*♭, *la*♭, *fa*, *sol* et *ré*♭. La mesure à 3/8 est utilisée en vue de préparer la mesure composée à 6/8. L'étendue des notes va du *sol* grave au *fa* aigu.

La section 6 introduit deux nouvelles tonalités – *la* majeur et *do* mineur – ainsi que les mesures à 9/8 et 5/4. Les syncopes simples en mesure à 3 ou 4 temps ainsi que la clé d'*ut* 4e sont utilisées pour la première fois.

La section 7 commence par l'introduction de ♬♬ et continue à utiliser la clé d'*ut* 4e. Elle présente également les nouvelles tonalités de *ré*♭ et *mi* majeur, de *fa* et *fa*♯ mineur et porte l'étendue des notes du *fa* grave au *sol* aigu.

La section 8 porte l'étendue des notes du *fa* grave au *la*♭ aigu avec les nouvelles tonalités de *do*♯ mineur, *si* majeur et *sol*♯ mineur. Les modes pentatonique et dorien font leur apparition de même que les rythmes swings.

La section 9 emploie toutes les tonalités majeures et mineures principales comportant jusqu'à 5 dièses et bémols, ainsi que les nouvelles mesures à 5/8, 7/8 et 7/4.

La section 10 utilise une large étendue de notes et de mesures, dans une grande variété de styles et de tonalités, à la fois en clé de *fa* et en clé d'*ut* 4e.

La section 11 utilise toutes les tonalités dans une grande variété de styles, y compris modal et atonal, ainsi que les doubles dièses et bémols.

A l'élève : Pourquoi le déchiffrage ?

Outre les épreuves de déchiffrages exigées par certains jurys, lorsque vous vous retrouvez face à une pièce nouvelle, que ce soit chez vous, en cours ou lors d'une audition, il n'y a personne pour vous aider – à part vous ! La capacité de lire correctement les notes et la mesure, et de repérer rapidement le phrasé et les nuances est probablement la compétence la plus importante que vous puissiez acquérir.

Ce recueil se propose de vous aider à vous entraîner vous-même. Il vous guide quant aux éléments à repérer et à la meilleure manière de vous préparer en un laps de temps très court en observant les indications de mesure et la tonalité, la ligne générale de la mélodie et les indications expressives. Grâce à leur progression par étapes, ces pièces brèves vous permettront de prendre de l'assurance, aiguiseront votre sens de l'observation et vous permettront de lire à vue avec aisance et exactitude. À la fin de chaque section figurent des duos que vous pourrez jouer avec votre professeur ou des amis, et des morceaux avec accompagnement de piano qui mettront à l'épreuve votre habileté à déchiffrer en même temps que se déroule une autre partie musicale. Cette qualité est indispensable pour jouer au sein d'un groupe, d'un orchestre ou d'un ensemble.

Si vous déchiffrez une pièce à chaque fois que vous vous mettez au trombone, vous serez surpris de vos progrès. N'oubliez pas que si vous êtes capable de lire à vue la plupart des morceaux que vous allez étudier, vous pourrez vous concentrer sur les passages difficiles et les assimiler plus vite.

Considérez ces pages comme des « mini-morceaux » et essayez de les apprendre rapidement et sans erreur de manière à ce que, devant un véritable déchiffrage, vous soyez bien armé pour réussir dès la première lecture.

À vous de jouer maintenant !

Vorwort

Die Stücke in *Trombone Sight-Reading* sind nicht nur gute Übungen, sondern stellen auch eine umfassende Einführung in die wichtige Fähigkeit des Vom-Blatt-Lesens dar. Das Vom-Blatt-Spiel sollte zu einem festen Bestandteil im Übungsprogramm des Schülers werden, wann immer er sein Instrument in die Hand nimmt.

Das Buch bietet die Möglichkeit, sich das Vom-Blatt-Spiel von Anfang an anzugewöhnen. Neue Noten, Taktarten, Tonarten und Rhythmen werden in einer logischen Reihenfolge eingeführt, um das gesamte Spektrum des Posaunenspiels einschließlich Transposition abzudecken.

Ein Glossar mit musikalischen Begriffen soll den Schülern beim Erlernen dieser Begriffe helfen. Die verwendeten Begriffe werden zu Beginn jedes Teils genannt.

Das Buch besteht aus elf Teilen und beginnt mit B, D und F sowie einfachen Notenwerten. Nach und nach werden Phrasierung, Dynamik, Rhythmen und Artikulation sowie Tempo- und Vortragsangaben eingeführt. Der Schwerpunkt liegt auf authentischen Melodien und Strukturen statt auf sterilen Vom-Blatt-Leseübungen. Jeder Teil beginnt mit mehreren Solobeispielen und endet mit Duetten und begleiteten Stücken, die dem Schüler die Möglichkeit bieten, beim gemeinsamen Musizieren Erfahrungen im Vom-Blatt-Spiel zu sammeln.

Die Duette in diesem Buch haben einen hohen Stellenwert, da sie die Gelegenheit bieten, einem anderen Spieler zuzuhören. Außerdem helfen sie, den Takt zu halten sowie die Intonation und den Klang zu verbessern. Die letzten Stücke am Ende jedes Teils bieten die Gelegenheit, ein kurzes Stück mit Klavierbegleitung vom Blatt zu spielen.

Teil 1 beginnt mit den Noten B, D und F sowie einfachen Rhythmen und Taktarten.

Teil 2 enthält die Noten B bis F sowie das mittlere B in der Tonart B-Dur. Außerdem werden der 3/4-Takt und die punktierte halbe Note eingeführt.

Teil 3 enthält die neuen Tonarten F- und Es-Dur, die neuen Töne G, A und As sowie Achtelpaare.

In **Teil 4** wird der Tonumfang auf zehn Noten von B bis D erweitert. Darüber hinaus kommen die neuen Tonarten C- und G-Dur, e- und d-Moll sowie die neuen Noten Fis und Cis hinzu. Auch werden einfache dynamische Zeichen und Punktierungen im 3/4- und 4/4-Takt eingeführt.

Teil 5 enthält vier neue Tonarten: D- und As-Dur, g- und h-Moll sowie die neuen Noten A, Ais, E, Es, As, F, G und Des. Der 3/8-Takt wird als Vorbereitung auf den zusammengesetzten 6/8-Takt eingeführt und der Tonumfang vom tiefen G bis zum hohen F erweitert.

Teil 6 enthält zwei weitere Tonarten: A-Dur und c-Moll. Darüber hinaus werden der 9/8- und 5/4-Takt eingeführt. Einfache Synkopen im 3/4- und 4/4-Takt sowie der Tenorschlüssel kommen ebenfalls zum ersten Mal vor.

Teil 7 beginnt mit der Einführung von ♪♪♪'s und der erneuten Verwendung des Tenorschlüssels. Die neuen Tonarten Des- und E-Dur, f- und fis-Moll werden vorgestellt, und der Tonumfang wird vom tiefen F bis zum hohen G erweitert.

In **Teil 8** wird der Tonumfang vom tiefen F bis zum As erweitert, und die neuen Tonarten cis-Moll, H-Dur und gis-Moll werden eingeführt. Neu sind außerdem die Pentatonik, der dorische Modus sowie Swing-Rhythmen.

In **Teil 9** werden alle Dur- und Molltonarten mit bis zu fünf Kreuzen und Bes sowie die neuen Taktarten 5/8, 7/8 und 7/4 verwendet.

Teil 10 enthält einen großen Tonumfang sowie viele verschiedene Taktarten, Stile und Tonarten im Bass- und Tenorschlüssel.

Teil 11 enthält alle Tonarten, verschiedene Stile, modale und atonale Tonleitern sowie Doppelkreuze und -Bes.

An den Schüler: Warum Vom-Blatt-Spiel?

Abgesehen davon, dass einige Prüfungsgremien eine Prüfung im Vom-Blatt-Spiel verlangen, hilft dir niemand, wenn du zu Hause, im Unterricht oder bei einem Vorspiel ein neues Stück spielen willst – nur du selbst! Die Fähigkeit, Taktart und Noten korrekt zu lesen und die Phrasierung und Dynamik schnell zu erfassen, ist wahrscheinlich das Wichtigste, was du erlernen kannst.

Ziel dieses Buches ist es, dir beim Selbstunterricht behilflich zu sein. Das Buch zeigt dir, worauf du achten sollst und wie du dich in sehr kurzer Zeit am besten vorbereitest. Das tust du, indem du dir Takt- und Tonart sowie den Verlauf der Melodie und die Ausdruckszeichen genau anschaust. Die kurzen Musikstücke steigern sich nur allmählich, um sowohl dein Vertrauen und deine Beobachtungsgabe aufzubauen als auch, um dich dazu zu befähigen, exakt vom Blatt zu spielen. Am Ende jeden Teils stehen Duette, die du mit deinem Lehrer oder deinen Freunden spielen kannst. Außerdem gibt es Stücke mit Klavierbegleitung, die deine Fähigkeit im Blatt-Spiel überprüfen, während gleichzeitig etwas anderes abläuft. Das ist eine wesentliche Fähigkeit, wenn man mit einer Band, einem Orchester oder einer anderen Musikgruppe zusammenspielt.

Wenn du jedes Mal, wenn du Posaune spielst, auch etwas vom Blatt spielst, wirst du überrascht sein, wie sehr du dich verbesserst. Denke daran: wenn du die meisten Melodien, die du spielen sollst, vom Blatt spielen kannst, kannst du dich auf die „schwierigen Teile" konzentrieren und diese viel schneller beherrschen.

Stelle dir die Melodien in diesem Buch als „Ministücke" vor und versuche, sie schnell und korrekt zu lernen. Wenn du dann wirklich vom Blatt spielen musst, wirst du bestens ausgerüstet sein, um gleich beim ersten Versuch erfolgreich zu sein.

Jetzt bist du auf dich selbst gestellt!

Section 1 – Notes B♭, D and F

Section 1 – Notes *si*♭, *ré* et *fa*

Teil 1 – Die Noten B, D und F

In this initial section you will be asked to read just 3 notes, B♭, D and F in the key of B♭ major using 1 beat, 2 beat and 4 beat note values.

General tips
Always look at the rhythms first. You should tap, clap or sing the rhythm before you play any notes. By doing this you will not only have looked at every note but also see if there is a pattern in either the rhythm or the shape of the melody.

Always try to keep going. This is easier if you choose a sustainable tempo and also give yourself at least one bar of counting before you begin.

Dans cette première section, il ne vous est demandé de lire que trois notes, *si*♭, *ré* et *fa* dans la tonalité de *si*♭ majeur et sur des valeurs de notes de deux et quatre temps.

Indications générales
Toujours étudier le rythme en premier. À vous de le frapper, de le taper dans les mains ou de le battre avant de jouer les notes. Ce faisant, vous aurez non seulement eu chaque note sous les yeux, mais cela vous aura également permis d'identifier un éventuel motif rythmique ou mélodique.

Essayer d'aller de l'avant sans vous arrêter. Cela vous sera plus facile si vous choisissez un tempo raisonnable et comptez une mesure avant de commencer.

Im ersten Teil musst du nur drei Noten lesen: B, D und F in der Tonart B-Dur. Die Notendauer beträgt entweder einen Schlag, zwei Schläge oder vier Schläge.

Allgemeine Tipps
Sieh dir immer zuerst den Rhythmus an. Du solltest den Rhythmus klatschen, mit dem Fuß klopfen oder singen, bevor du die Noten spielst. Auf diese Weise schaust du dir nicht nur jede einzelne Note an, sondern siehst auch, ob es im Rhythmus oder Melodieverlauf ein Muster gibt.

Du solltest versuchen, immer weiterzuspielen. Das ist einfacher, wenn du ein gleich bleibendes Tempo wählst und mindestens einen Takt einzählst, bevor du anfängst.

New note: B♭   Nouvelle note : *si*♭   Neue Note: B

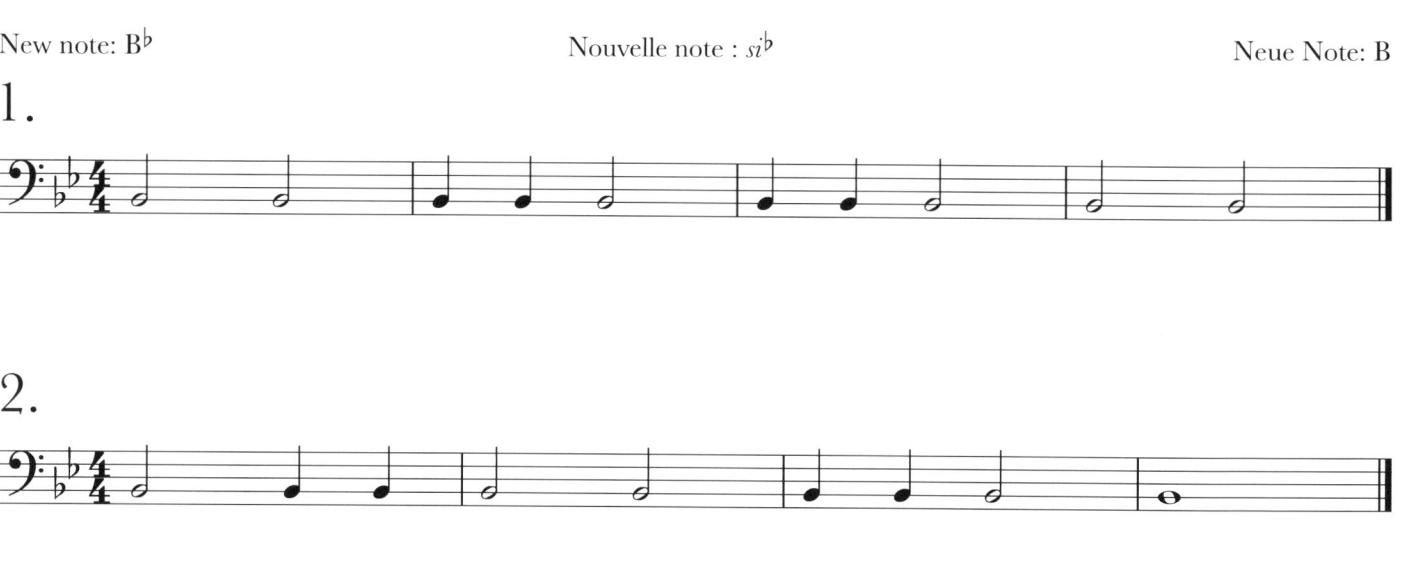

New note: F Nouvelle note : *fa* Neue Note: F

4.
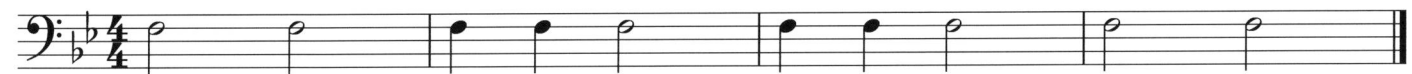

5.
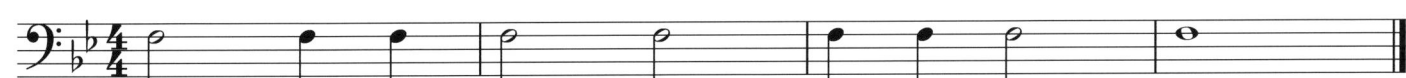

6.
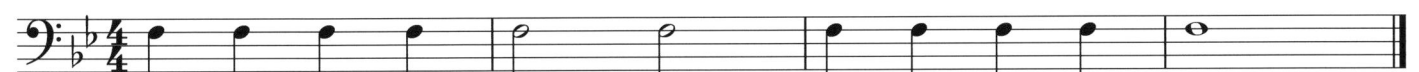

New note: D Nouvelle note : *ré* Neue Note: D

7.
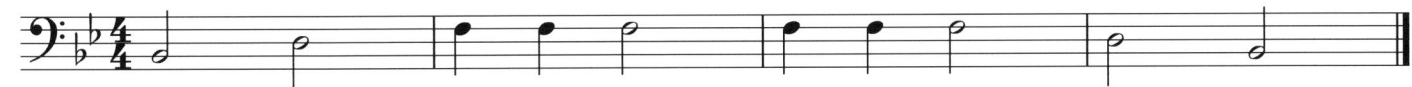

8.
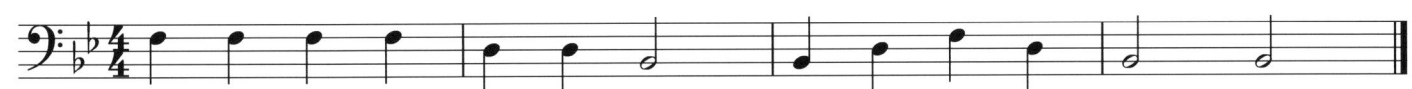

9.

10.
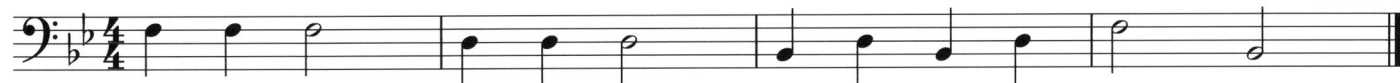

11.

12.
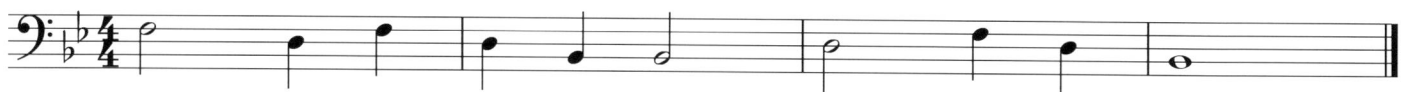

Note against note / Note contre note / Erstes Zusammenspiel

13.

Pupil/Elève/Schüler

Teacher/Professeur/Lehrer

Independent rhythms / Rythmes indépendants / Erweitertes Zusammenspiel

14.

15.

Not too fast　　　　　　　　　Pas trop vite　　　　　　　　　Nicht zu schnell

Section 2 – Notes B♭ to F and middle B♭, 4/4 and 3/4 time with 𝅗𝅥·, key of B♭ major

Section 2 – Notes *si♭* à *fa* et *si♭* médian, mesures à 4/4 et 3/4 avec 𝅗𝅥·, tonalité de *si♭* majeur

Teil 2 – Die Noten B bis F, das mittlere B, 4/4- und 3/4-Takt mit 𝅗𝅥·, die Tonart B-Dur

You now have the 5 notes between B♭ and F together with the middle B♭ using both 4 and 3 time with the addition of the 3 beat 𝅗𝅥·.

General tips
Always look at the rhythm first. You should tap, clap or sing the rhythm before you play any notes.

Look at the shape of the notes. Notice where the melody rises and falls and also **notice the movement**. Do the notes move by step or miss out a note (skip)? Be on the lookout for **repeated notes** too.

Always try to keep a steady unbroken pulse.

Vous utilisez maintenant les cinq notes entre *si♭* et *fa* ainsi que le *si♭* médian, dans des mesures à 3 et 4 temps, et l'ajout de la 𝅗𝅥·.

Indications générales
Commencez toujours par regarder le rythme, que vous taperez, frapperez dans les mains ou battrez avant de jouer une note.

Observez la ligne des notes. Repérez les mouvements ascendants et descendants de la mélodie ainsi que leur nature : s'agit-il de **mouvements** conjoints ou disjoints ? Soyez également attentif aux **notes répétées**.

Tentez toujours de conserver une pulsation stable et régulière.

Jetzt hast du fünf Töne zwischen B und F sowie das mittlere B. Du kannst sowohl im 4/4- als auch im 3/4-Takt sowie die 𝅗𝅥· spielen, die drei Schläge zählt.

Allgemeine Tipps
Sieh dir immer zuerst den Rhythmus an. Du solltest den Rhythmus klatschen, mit dem Fuß klopfen oder singen, bevor du die Noten spielst.

Sieh dir die Form der Noten an. Achte darauf, wo die Melodie steigt und fällt und **beachte auch die Intervalle**. Bewegen sich die Noten in Ganztonschritten, oder wird eine Note ausgelassen (übersprungen)? Außerdem solltest du auf **Tonwiederholungen** achten.

Probiere immer, einen ganz gleichmäßigen Beat bzw. Puls beizubehalten.

Introducing 3-time   Mesure à 3/4   3/4-Takt

New note: B♭   Nouvelle note : si♭   Neue Note: B

Section 3 – Range one octave from B♭ to B♭ with new notes G, A and A♭ and the new keys of F and E♭ majors and ♫

Section 3 – Étendue d'une octave, de *si♭* à *si♭* avec les nouvelles notes de *sol, la* et *la♭* et les nouvelles tonalités de *fa* et *mi♭* majeur et ♫

Teil 3 – Der Tonumfang beträgt jetzt eine Oktave von B bis B. Die neuen Noten G, A und As sowie die neuen Tonarten F- und Es-Dur sowie ♫ werden eingeführt

By adding the new notes G and A your range will be a full octave from B♭ to B♭, and by the addition of A♭ the new key of E♭ major as well as F major. Quavers are also introduced in pairs.

Always look at the rhythm first having checked the time signature and counted at least one bar before you begin.
It is useful to try to pitch the notes of each short piece at this stage. As well as improving your aural ability it will help with your pitch while playing.

Look for any repetition or patterns which occur in the rhythms or shape of the melody.

Always try to keep a steady unbroken beat or pulse.

Par l'ajout des notes *sol* et *la*, votre étendue sera d'une octave complète, de *si♭* à *si♭*, avec la tonalité de *fa* majeur, l'adjonction du *la♭* permettant l'introduction de la tonalité de *mi♭* majeur. Les croches sont également introduites par groupes de deux.

Commencez toujours par observer le rythme après avoir vérifié la mesure et compté au moins une mesure avant de vous lancer.
À ce stade, il est utile de vérifier l'intonation pour chaque courte pièce abordée. Cela aura l'avantage à la fois d'améliorer votre oreille et de vous aider en termes de justesse lorsque vous jouerez.

Repérez la présence de **répétitions ou de motifs récurrents** dans les morceaux, tant du point de vue rythmique que mélodique.

Essayez toujours de conserver une pulsation stable et régulière.

Durch Hinzufügen der neuen Noten G und A erhältst du die volle Oktave von B bis B. Außerdem kommen die Note As, die neuen Tonarten Es-Dur und F-Dur sowie Achtelpaare hinzu.

Sieh dir immer zuerst den Rhythmus an, nachdem du die Taktart überprüft und mindestens einen Takt vorgezählt hast, bevor du anfängst.
In dieser Phase ist es hilfreich, wenn du bei jedem kurzen Stückes zuerst versuchst, die Töne zu treffen. Dadurch wird nicht nur dein musikalisches Gehör besser, sondern du triffst die Töne später beim Spielen auch besser.

Achte auf Wiederholungen und Figuren, die in den Rhythmen oder im Melodieverlauf vorkommen.

Versuche, durchgängig den Takt zu halten.

New key: F major | Nouvelle tonalité : *fa* majeur | Neue Tonart: F-Dur

39.

| This begins on the 4th beat in 4-time. Count 1 2 3 before you begin | Cette pièce débute sur le 4e temps d'une mesure à 4 temps. Comptez 1, 2, 3, avant de commencer | Dieses Stück beginnt auf dem vierten Schlag in einem 4/4-Takt. Zähle 1 2 3 vor, bevor du anfängst |

40.

| This begins on the 4th beat in 4-time. Count 1 2 3 before you begin | Cette pièce débute sur le 4e temps d'une mesure à 4 temps. Comptez 1, 2, 3, avant de commencer | Dieses Stück beginnt auf dem vierten Schlag in einem 4/4-Takt. Zähle 1 2 3 vor, bevor du anfängst |

41.

| This begins on the 3rd beat in 4-time. Count 1 2 3 4 1 2 before you begin | Cette pièce débute sur le 3e temps d'une mesure à 4 temps. Comptez 1, 2, 3, 4, 1, 2, avant de commencer | Dieses Stück beginnt auf dem dritten Schlag in einem 4/4-Takt. Zähle 1 2 3 4 1 2 vor, bevor du anfängst |

42.

New note: A♭ | Nouvelle note : *la*♭ | Neue Note: As

43.
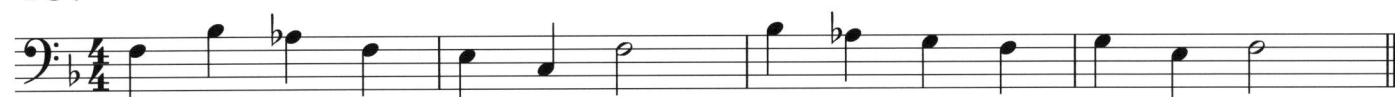

New key: E♭ major Nouvelle tonalité : mi♭ majeur Neue Tonart: Es-Dur

44.

Introducing quavers Introduction des croches Einführung von Achteln

45.

46.

47.

48.

Section 4 – Range B♭ to D, new keys C and G majors, E and D minors and new notes F♯ and C♯. Introducing ♩. ♪♩ in 3 and 4 time and basic dynamics of *f* and *p*

Section 4 – Étendue de si♭ à ré, nouvelles tonalités de do et sol majeur, mi et ré mineur et nouvelles notes fa♯ et do♯. Introduction de la cellule rythmique ♩. ♪♩ en mesure à 3 et 4 temps et des indications dynamiques de base f et p

Teil 4 – Tonumfang von B bis D; die neuen Tonarten C- und G-Dur, e- und d-Moll sowie die neuen Töne Fis und Cis werden eingeführt. Einführung von ♩. ♪♩ im 3/4- und 4/4-Takt und der einfachen dynamischen Zeichen f und p

Your range is now extended to 10 notes with the notes B♭ to D. Three new keys: those of G major, E and D minors together with the new notes F♯ and C♯. Basic dynamics of *f* and *p* and the new rhythm of ♩. ♪♩ in both 3 and 4 time.

It is still vital that you **work through the rhythms first.** You can still tap, clap or sing, and it is always best if you can pitch the notes too before you start to play.

Only after you have worked out the **rhythm**, looked to see what **repetition** occurs and the **shape** of each phrase can you hope to play the piece **accurately**.

Aim to keep moving, even if you have played a wrong note. Do not stop!

Votre étendue atteint maintenant 10 notes, partant de *si♭* à *ré*. Trois nouvelles tonalités : celles de *sol* majeur, *mi* et *ré* mineur ainsi que les nouvelles notes de *fa♯* et *do♯*. Les indications dynamiques de base *f* et *p* ainsi que le nouveau rythme ♩. ♪♩ en mesure à 3 et 4 temps.

Il reste primordial de **commencer par travailler le rythme**. Vous pouvez le frapper dans les mains ou sur un support, ou encore le chanter. Par ailleurs, vérifier l'intonation avant de commencer à jouer est toujours un avantage.

Vous ne pourrez espérer jouer la pièce de manière **satisfaisante** qu'après en avoir étudié le **rythme**, repéré la présence de **motifs récurrents** ainsi que le mouvement de chaque phrase.

Continuer toujours à avancer, même lorsque vous avez fait une fausse note. Ne vous arrêtez-pas !

Der Tonumfang wird auf zehn Noten vom B bis D erweitert. Drei neue Tonarten, G-Dur, e- und d-Moll, sowie die neuen Noten Fis und Cis kommen hinzu. Die dynamischen Zeichen *f* und *p* und der neue Rhythmus ♩. ♪♩ kommen ebenfalls zum Einsatz sowohl im 3/4- als auch im 4/4-Takt.

Es ist nach wie vor sehr wichtig, dass du **zuerst den Rhythmus durcharbeitest**. Du kannst ihn mit dem Fuß klopfen, klatschen oder singen. Am besten übst du auch, die Töne zu treffen, bevor du anfängst zu spielen.

Erst wenn du den **Rhythmus** herausgearbeitet hast, herausgefunden hast, welche **Wiederholungen** vorkommen und den Verlauf jeder Phrase kennst, hast du eine Chance, das Stück **fehlerfrei** zu spielen.

Du solltest versuchen, immer weiterzuspielen, auch wenn du einen falschen Ton gespielt hast. Hör nicht auf!

72.

Section 5 – Range extended up to F. New keys of D and A♭ majors, G and B minors. New time signatures of 3/8 and 6/8. Tempo and performance directions introduced

Section 5 – Étendue jusqu'au fa. Nouvelles tonalités de ré et la♭ majeur, sol et si mineur. Nouvelles mesures à 3/8 et 6/8. Introduction des indications de tempo et de jeu

Teil 5 – Der Tonumfang wird bis F erweitert. Neue Tonarten sind D- und As-Dur sowie g- und h-Moll. Neue Taktarten: 3/8 und 6/8. Tempo- und Vortragsangaben werden eingeführt

A further extension of the range from low G to F – a **range of almost 2 octaves**, together with the new keys of **D and A♭ majors** and **G and B minors**. 3/8 time is introduced to lead to the **compound time of 6/8**. **Tempo and performance directions** are also introduced to aid your performance.

Some pieces will start on notes other than the 1st beat of the bar so that it is essential to **count yourself in** and work out the rhythms clearly before you play. **Reading just the rhythm** will make sure that you have looked at every note as this provides the opportunity to see where the necessary sharps and flats are required. Watch out for **additional accidentals**, particularly in minor keys.

As your pieces gradually get longer it becomes even more important to **look for patterns** in time and pitch and to be aware of **sequences**. A sequence is a repeated melodic phrase which either rises or falls, generally by step.

Nouvelle extension de l'étendue partant du *sol* grave au *fa* – une **étendue de presque 2 octaves**, avec les nouvelles tonalités de *ré* et *la♭* **majeur,** *sol* et *si* **mineur**. La mesure à 3/8 est introduite en prévision de la **mesure composée à 6/8**. Les **indications de tempo et de jeu** sont également présentes pour vous aider dans votre interprétation.

Certaines pièces ne commencent pas sur le premier temps de la mesure, c'est pourquoi il est essentiel de compter intérieurement et de travailler le rythme avec précision avant de commencer à jouer. **Le simple fait de lire le rythme** vous assurera d'avoir lu chaque note et vous donnera la possibilité de repérer où se situent les dièses et bémols nécessaires. Soyez attentifs aux **altérations accidentelles**, en particulier dans les tonalités mineures.

Les morceaux s'allongeant progressivement, il est encore plus important de **repérer** la présence de **motifs** rythmiques et mélodiques récurrents et d'être attentif aux **séquences**. Une séquence est une phrase mélodique ascendante ou descendante, généralement en mouvement conjoint, qui se répète.

Erweiterung des Tonumfangs vom tiefen G bis F – ein **Tonumfang von fast zwei Oktaven**. Darüber hinaus kommen die neuen Tonarten **D- und As-Dur** sowie **g- und h-Moll** hinzu. Der 3/8-Takt wird als Vorbereitung auf die **zusammengesetzte Taktart 6/8** eingeführt. **Tempo- und Vortragsangaben** zur Verfeinerung der Interpretation sind ebenfalls neu.

Einige Stücke beginnen nicht auf der Eins. Daher ist es wichtig, immer **vorzuzählen** und den Rhythmus herauszuarbeiten, bevor du anfängst zu spielen. **Wenn du dich ausschließlich mit dem Rhythmus befasst**, stellst du sicher, dass du dir jede einzelne Note angesehen hast, da du darauf achten musst, wo die erforderlichen Kreuze und Bes gespielt werden müssen. Achte auf **zusätzliche Versetzungszeichen**, vor allem in Molltonarten.

Da die Stücke allmählich länger werden, wird es immer wichtiger, im Rhythmus und in der Melodie **nach Figuren (Patterns) Ausschau zu halten** und auf **Sequenzen** zu achten. Eine Sequenz ist eine Melodiephrase, die meist in Tonstufen entweder steigt oder fällt.

mp (mezzo piano)	moderately soft	nuance mi-douce (assez doux)	ziemlich (leise) zart
p (piano)	softly/gently	*piano* (doux) doux	piano (leise) zart
mf (mezzo forte)	quite loudly/firmly	nuance mi-forte (assez fort)	ziemlich kräftig
f (forte)	loud/strong	fort, puissant	forte (laut), kräftig
Alla marcia	in march style	à la manière d'une marche	wie ein Marsch
Allegretto	quite fast but not as fast as Allegro	assez rapide, mais pas autant qu'allegro	ziemlich schnell, jedoch nicht so schnell wir allegro
Andante	at walking pace	allant	gehend
Andantino	a little faster than Andante	un peu plus vite qu'andante	ein bisschenschneller als Andante
Con moto	with movement	avec mouvement	mit Bewegung
Crescendo *(cresc.)*	gradually getting louder	de plus en plus fort	allmählich lauter werdend
Giocoso	playfully	joyeux	spielerisch
Grazioso	gracefully	gracieux	anmutig
Moderato	at a moderate tempo	modéré	in gemäßigtem Tempo

New key: D major   Nouvelle tonalité : *ré* majeur   Neue Tonart: D-Dur

In march style | Dans le style d'une marche | Wie ein Marsch

75.

Introducing 3/8 time | Mesure à 3/8 | 3/8-Takt

76.

Con moto

Now in D minor | Maintenant en *ré* mineur | Jetzt in d-Moll

77.

Con moto

New key: G minor | Nouvelle tonalité : *sol* mineur | Neue Tonart: g-Moll

78.

Grazioso

(approaching low G from D)

79.

80.

New key: B minor	Nouvelle tonalité : *si* mineur	Neue Tonart: h-Moll
New note: A♯	Nouvelle note : *la*♯	Neue Note: Ais

81.

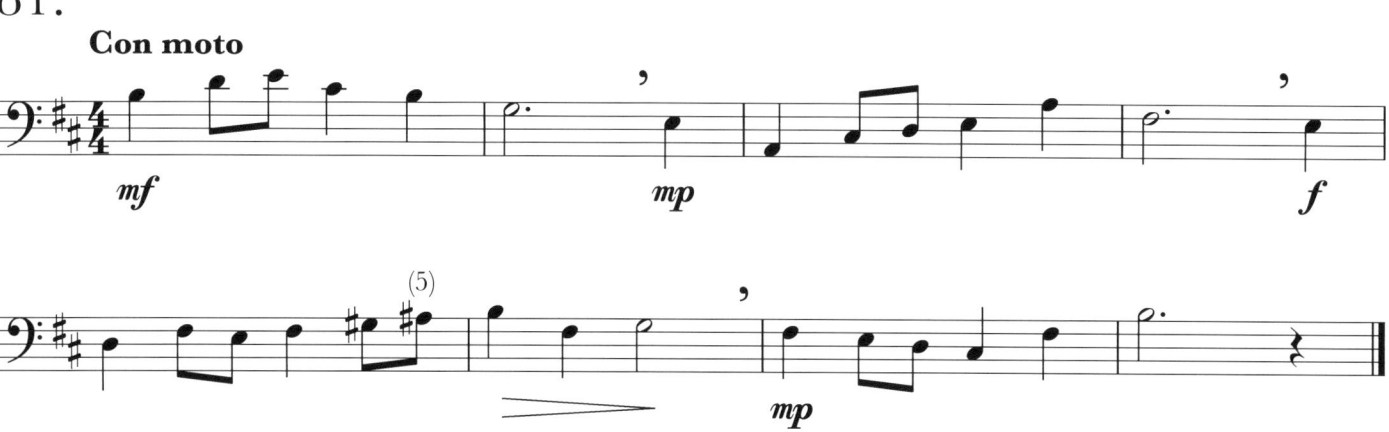

82.

Introducing 6/8 time — Mesure à 6/8 — 6/8-Takt

83.

| New key: A♭ major | Nouvelle tonalité : la♭ majeur | Neue Tonart: As-Dur |
| New note: D♭ | Nouvelle note : ré♭ | Neue Note: Des |

84.

85.

86.

87.
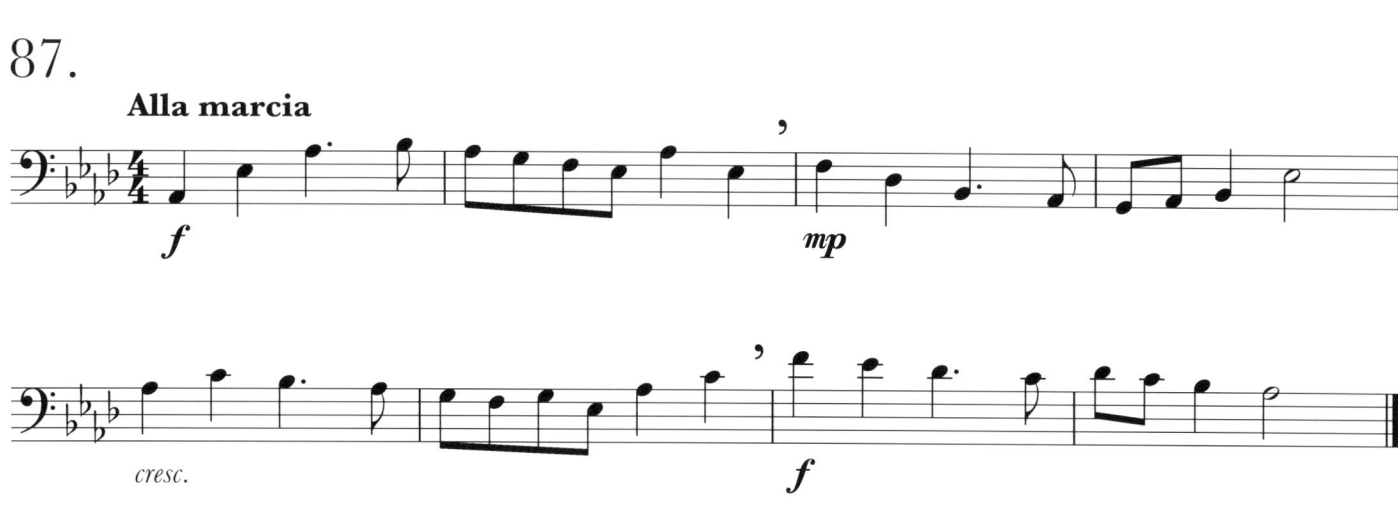

| This begins on the 3rd beat in 3-time. Count at least 1 2 3 1 2 before you begin | Cette pièce débute sur le 3e temps d'une mesure à 3 temps. Comptez 1, 2, 3, 1, 2, avant de commencer | Dieses Stück beginnt auf dem dritten Schlag im 3/4-Takt. Zähle mindestens 1 2 3 1 2 vor, bevor du anfängst |

| This begins on the 6th quaver in 6/8 time. Count at least 1 (2 3) 2 (2) before you begin | Cette pièce débute sur la 6e croche d'une mesure à 6 temps. Comptez 1 (2 3) 2 (2) avant de commencer | Dieses Stück beginnt auf der sechste Achtel in einem 6/8-Takt. Zähle 1 (2 3) 2 (2) bevor du anfängst |

Both parts may be played by pupils

Les deux parties peuvent être jouées par des élèves

Beide Stimmen können von den Schülern gespielt werden

91.

92.

New key: C minor
New note: B♮

Nouvelle tonalité : *do* mineur
Nouvelle note : *si*♮

Neue Tonart: c-Moll
Neue Note: H

93.

Section 6 – Introduces the new key of A major, 9/8 and 5/4 time, syncopation in 3 and 4 time and the tenor clef

Section 6 – Introduit les nouvelles tonalité de *la* majeur, les mesures à 9/8 et 5/4, les syncopes en mesure à 3 et 4 temps et la clé de *sol* 4e

Teil 6 – Enthält die neuen Tonart A-Dur, den 9/8- und 5/4-Takt sowie den Tenorschlüssel

You will find further use of compound time with the addition of 9/8 and extend the keys to include A major and C minor. The **Tenor Clef** is introduced along side the Bass clef to begin with, then independently. Syncopation occurs in 3 and 4 time and 5/4 time is included.

For both syncopation and compound time the setting up of a **maintainable tempo** and study of the **rhythms** prior to playing is even more important.

Always try to perform musically and to maintain the tempo set at the start. Try to avoid any breaks in the continuity.

Vous rencontrez d'autres applications de mesures composées avec l'adjonction de la mesure à 9/8 et agrandirez votre palette de tonalités avec les tonalités de *la* majeur et *do* mineur. La clé d'*ut* 4e est d'abord introduite au côté de la clé de *fa*, puis indépendamment. Les syncopes apparaissent dans les mesures à 3 et 4 temps, et la mesure à 5/4 est incluse.

Pour les syncopes aussi bien que pour les mesures composées, il est d'autant plus important de choisir **un tempo raisonnable** que vous pourrez maintenir ainsi que d'étudier les **rythmes** avant de commencer à jouer.

Veillez toujours à jouer avec musicalité et à maintenir le tempo fixé au début. Tentez d'éviter toute interruption.

Hier findest du weitere zusammengesetzte Taktarten, u. a. den 9/8-Takt, sowie die neuen Tonarten A-Dur und c-Moll. Der **Tenorschlüssel** wird zuerst neben dem Bassschlüssel und anschließend unabhängig davon verwendet. Synkopen werden im 3/4- und 4/4-Takt eingesetzt, und der 5/4-Takt kommt als neue Taktart hinzu.

Sowohl für die Synkopen als auch für die zusammengesetzten Taktarten ist es sehr wichtig, ein **Tempo** zu wählen, **das du gut halten kannst**, und dir die **Rhythmen** vor dem Spielen genau anzuschauen.

Du solltest versuchen, immer flüssig und musikalisch ausdrucksvoll zu spielen und das Anfangstempo zu halten.

Performance directions used in this section:

Indications de jeu utilisées dans cette section :

Vortragsangaben, die in Teil 6 verwendet werden:

Allegro moderato	moderately fast	modérément rapide	mäßig schnell
Cantabile	in a singing style	style chantant	singend
Dolce	sweetly/gently	doux	süß
Energetico	energetically	avec énergie	energisch
Legato e espress.	smoothly and expressively	avec douceur et expressivité	sanft und gefühlvoll
Poco a poco	little by little	peu à peu	nach und nach
Poco rit.	a little slower	un peu plus lent	etwas langsam
Resoluto	with resolve	avec résolution	fest entschlossen
Ritmico	rhythmically	rythmique	rhythmisch
Vivace	lively	vif	lebhaft

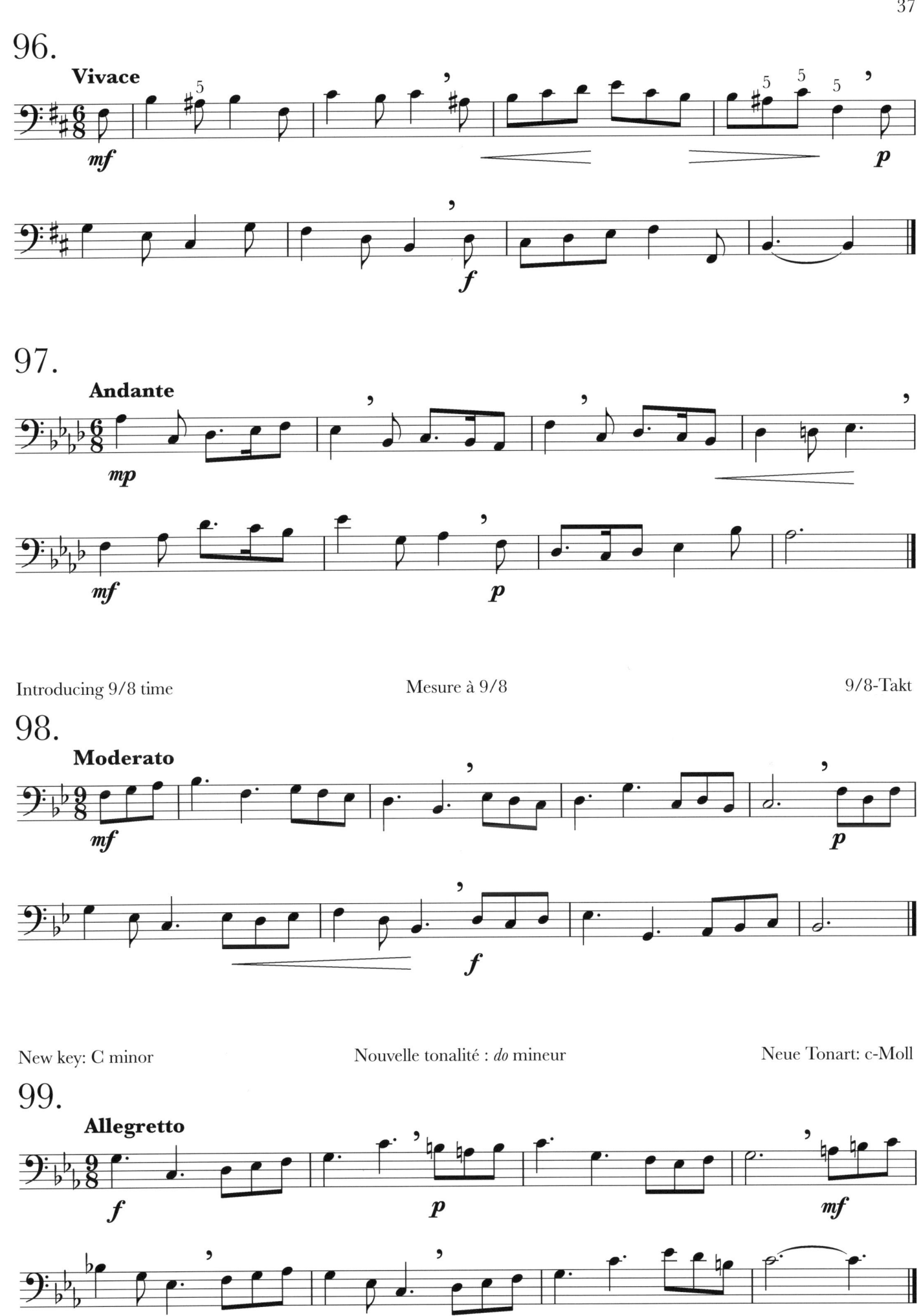

Syncopation in 3-time — Syncope dans une mesure à trois temps — Synkopen im 3/4-Takt

100.

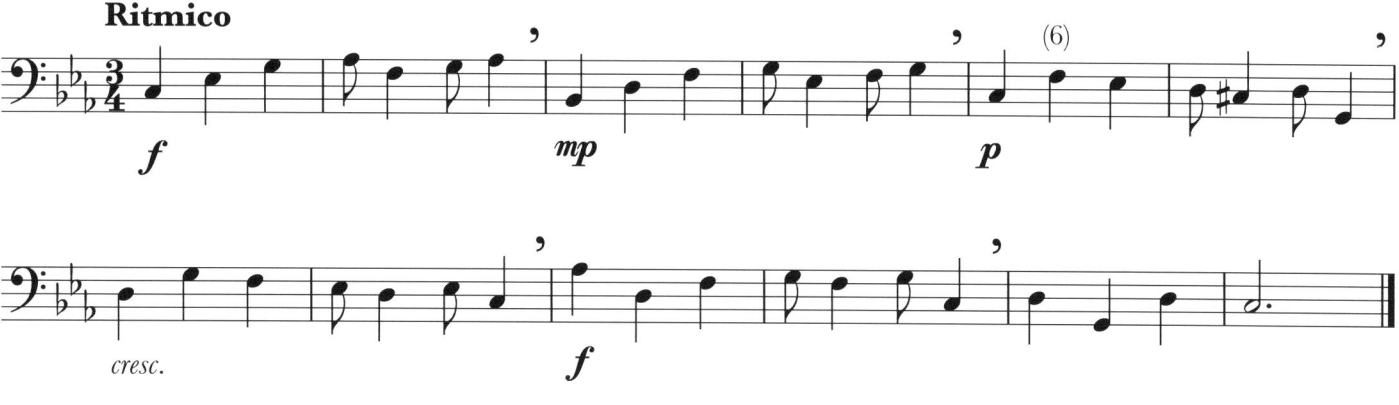

101.

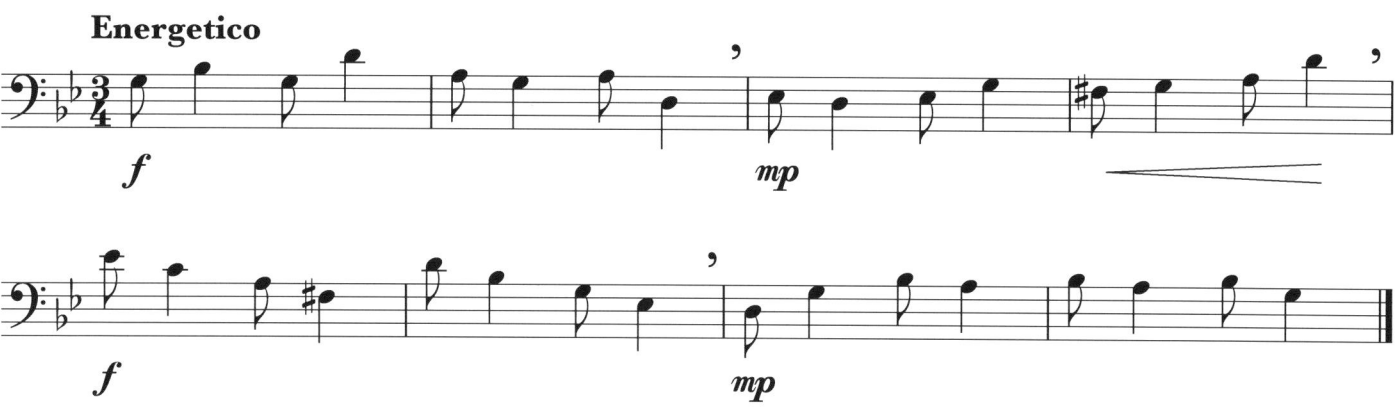

Syncopation in-4 time. Lively and rhythmic — Syncope dans une mesure à 4 temps. Animé et rythmique — Synkopen im 4/4-Takt. Lebhaft und rhythmisch

102.

New key: A major　　　Nouvelle tonalité : *la* majeur　　　Neue Tonart: A-Dur

103.

104.

Introducing 5/4 time.
Count 1 2 3 1 2
before you begin

Mesure à 5/4.
Comptez 1, 2, 3, 1, 2,
avant de commencer

5/4-Takt.
Zähle 1 2 3 1 2 vor,
bevor du anfängst

105.

106.
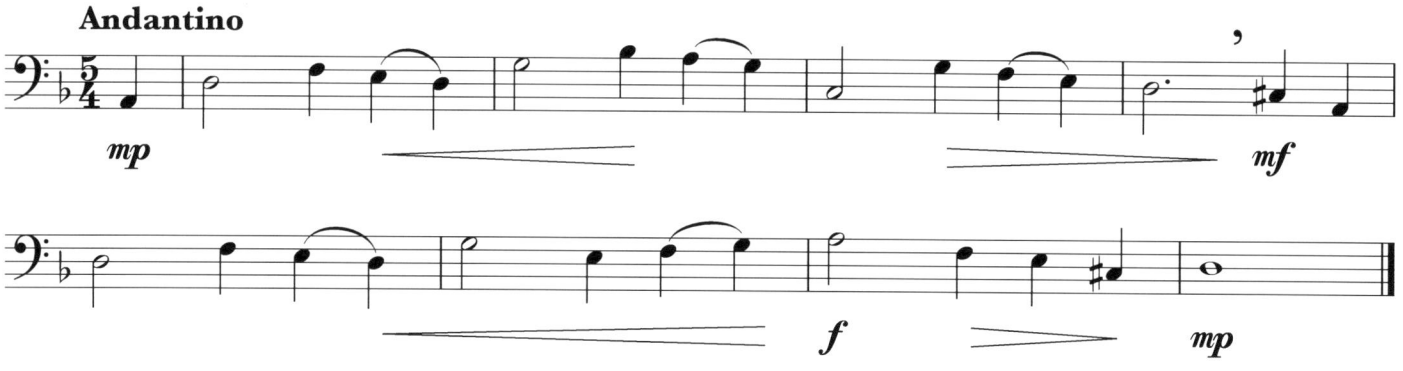

107.

Introducing the tenor clef

Introduction de la clé d'*ut*

Einführung des Tenorschlüssels

107a.

108.

108a.

109.

112.

Moderato

113. Grazioso

114. Andantino

Section 7 – New keys: E and D♭ major, F and F♯ minor. Range extends from low F to high G. Further use of tenor clef and introducing ♫♫'s

Section 7 – Nouvelles tonalités : mi et ré♭ majeur, fa et fa♯ mineur. Étendue du fa grave au sol aigu. Utilisation de la clé d'ut 4e et introduction des ♫♫

Teil 7 – Neue Tonarten: E- und Des-Dur, f- und fis-Moll. Der Tonumfang wird vom tiefen F zum hohen G erweitert. Weitere Verwendung des Tenorschlüssels und Einführung von ♫♫'s

In this section you will find **keys** of up to **4 sharps and flats** with the addition of D♭ major. Your **range** now extend from low F to high G and both the **Tenor Clef** and ♫♫'s are used in simple time. You will also be given guidance as to dynamics, tempo and style.

Always count at least one bar of time before you begin and remember to count the part bar if necessary. Aim to give **character and style** to your playing by choosing a **sustainable tempo** and observing the **performance directions and dynamics**.

When playing pieces containing semiquavers it is always recommended that you count the half beats. e.g. 1 + 2 + 3 + and remember to choose a slower tempo. This should ensure the correct rhythm.

Dans cette partie, vous trouverez des **tonalités** comportant jusqu'à **4 dièses ou bémols** avec l'adjonction de la tonalité de ré♭ majeur. Votre **étendue** va à présent du fa grave au sol aigu et la **clé d'ut 4e** aussi bien que les ♫♫ sont utilisées dans des mesures simples. Vous trouverez également des indications sur la dynamique, le tempo et le style.

Comptez toujours au moins une mesure entière avant de commencer et souvenez-vous de compter les mesures partielles si nécessaire. Efforcez-vous de donner **du caractère et du style** à votre interprétation en observant les **indications de jeu et les nuances** et en choisissant un **tempo adapté**.

Lorsque vous jouez les morceaux présentant des doubles croches, il est toujours recommandé de marquer les demi-temps, par ex. 1+ 2 + 3 + et rappelez-vous de choisir un tempo plus lent pour vous permettre de jouer le rythme correctement.

In diesem Teil findest du **Tonarten** mit bis zu **vier Kreuzen und Bes** sowie die neue Tonart Des-Dur. Dein **Tonumfang** wird vom tiefen F bis zum hohen G erweitert, und sowohl der **Tenorschlüssel** als auch ♫♫'s werden in einfachen Taktarten verwendet. Außerdem erhältst du An- gaben zu Dynamik, Tempo und Stil.

Zähle immer mindestens einen vollen Takt vor, bevor du anfängst zu spielen und vergiss nicht, einen eventuellen Auftakt mitzuzählen. Versuche stets **ausdrucksvoll** zu spielen, indem du die **Vortragsanweisungen und dynamischen Zeichen** beachtest. Wenn du **ein Tempo wählst, das du halten kannst**, solltest du in der Lage sein, flüssig zu spielen.

Wenn du Stücke spielst, die Sechzehntel enthalten, solltest du die halben Schläge zählen, z. B. 1 + 2 + 3 +, und ein langsameres Tempo wählen. Dann ist es einfacher, rhythmisch korrekt zu spielen.

Performance directions used in this section:

Indications de jeu utilisées dans cette section :

Vortragsangaben, die in Teil 7 verwendet werden:

Con spiritoso	with spirit/energy	avec esprit, avec entrain	mit Geist, schwungvoll
Poco adagio	a little slowly	un peu lent	etwas langsam
Ragtime	a syncopated early jazz style	style de jazz syncopé	ein früher Jazzstil mit synkopierter Melodie
Slow blues	a slow piece often employing a blues scale	pièce lente employant souvent une gamme blues	ein langsames Stück, in dem häufig Bluestonleiter verwendet wird

Count 1 + 2 + 3 +   Comptez 1 + 2 + 3 +   Zähle 1 + 2 + 3 +

115.
Moderato

Count 1 + 2 +   Comptez 1 + 2 +   Zähle 1 + 2 +

116.
Andante

This begins on the 3rd beat in 3-time. Count 1 + 2 + before you begin

Cette pièce débute sur le 3e temps d'une mesure à 3 temps. Comptez 1 + 2 + avant de commencer

Dieses Stück beginnt auf dem dritten Schlag in einem 3/4-Takt. Zähle 1 + 2 + vor, bevor du anfängst

117.
Ritmico

New key: D♭ major   Nouvelle tonalité : ré♭ majeur   Neue Tonart: Des-Dur

118.
Allegretto

Count 1 + 2 + before you begin	Comptez 1, 2, avant de commencer	Zähle 1 2 vor, bevor du anfängst

119.
Andantino

120.
Ragtime

New key: F minor.
This begins on the 4th beat in 4-time. Count at least 1 2 3 before you begin

Nouvelle tonalité : *fa* mineur.
Cette pièce débute sur le 4e temps d'une mesure à 4 temps. Comptez 1, 2, 3, avant de commencer

Neue Tonart: f-Moll.
Dieses Stück beginnt auf dem vierten Schlag in einem 4/4-Takt. Zähle 1 2 3 vor, bevor du anfängst

121.
Gracioso

This begins on the 6th quaver in 6/8 time. Count 1 (2 3) 2 (2) before you begin

Cette pièce débute sur la 6e croche d'une mesure à 6/8. Comptez 1 (2 3) 2 (2) avant de commencer

Dieses Stück beginnt auf der sechste Achtel in einem 6/8-Takt. Zähle 1 (2 3) 2 (2) bevor du anfängst

122.
Andante

This begins on the 3rd beat in 3-time. Count 1 2 3 1 2 before you begin

Cette pièce débute sur le 3e temps d'une mesure à 3 temps. Comptez 1, 2, 3, 1, 2, avant de commencer

Dieses Stück beginnt auf dem dritten Schlag in einem 3/4-Takt. Zähle 1 2 3 1 2 vor, bevor du anfängst

123.
Vivace

This begins on the 4th beat in 4-time. Count at least 1 2 3 before you begin

Cette pièce débute sur le 4e temps d'une mesure à 4 temps. Comptez 1, 2, 3, avant de commencer

Dieses Stück beginnt auf dem vierten Schlag in einem 4/4-Takt. Zähle 1 2 3 vor, bevor du anfängst

124.
Moderato

125.
Con spiritoso

New key: F# minor Nouvelle tonalité : fa# mineur Neue Tonart: fis-Moll

126.

Blues in B♭ Blues en si♭ Blues in B

127.

Blues in F Blues en fa Blues in F
Medium blues tempo Tempo de blues moyen Mittleres Bluestempo

128.

131.

Ragtime

Section 8 – Range: low F to high A♭.
New keys: A♭ and B majors, C♯ and G♯ minors.
Pentatonic and Dorian modes. Swing rhythms

Section 8 – Étendue du *fa* grave au *la*♭ aigu.
Nouvelles tonalités : *la*♭ et *si* majeur, *do*♯ et *sol*♯ mineur.
Modes pentatonique et dorien. Rythmes swing

Teil 8 – Tonumfang: vom tiefen F bis zum hohen As.
Neue Tonarten: As- und H-Dur, cis- und gis-Moll.
Pentatonik und dorischer Modus. Swing-Rhythmen

In this section you will encounter some **new sharp keys** and the **double sharp** sign (𝄪) together with **swing rhythms**.

With these new keys and continued use of the **tenor clef** it becomes even more important that all stages of preparation are thoroughly adhered to. Not only is it necessary to **scan every note** for its rhythms but it is vital that you are **aware of the key signature** and the **tonality** it signifies.

Swing rhythms
Swing rhythm is what most people think of as 'jazz', with its easily recognisable relaxed triplet feel. Jazz grew out of ragtime and spirituals in the early 20th century.

There are many forms of jazz: Dixieland, blues, traditional, swing, bebop and many others. Common to most is a flexible notation of rhythm born out of the fact that jazz is mostly an aural tradition. Interpreting 'jazz quavers' (eighth notes) is the main focus for this section.

Dans cette partie, vous rencontrerez quelques nouvelles tonalités comportant plusieurs **dièses à la clé**, ainsi que le **double dièse** (𝄪) et des **rythmes swing**.

Avec ces nouvelles tonalités et l'utilisation de la **clé d'*ut* 4e**, il devient encore plus important de respecter tous les stades de la préparation. Non seulement il est nécessaire de passer chaque note en revue du point de vue rythmique, mais il est également vital d'**avoir conscience de l'armure** et de la **tonalité** qu'elle implique.

Swing et rythmes
Les rythmes swing, facilement reconnaissables à leur caractère souple de triolet, sont ce que la plupart des gens désignent par le terme de « jazz », Le jazz est né du ragtime et des negro spirituals au début du 20e siècle.

Il existe de nombreuses formes de jazz : dixieland, blues, traditionnel, swing, bebop et bien d'autres. La plupart d'entre elles ont en commun une notation flexible du rythme née du fait que le jazz est principalement issu d'une tradition orale. Interpréter les « croches jazz » est l'objectif principal de cette partie.

In diesem Teil lernst du ein paar **neue Kreuztonarten**, das **Doppelkreuz** (𝄪) sowie **Swing-Rhythmen** kennen.

Mit diesen neuen Tonarten und der gelegentlichen Verwendung des **Tenorschlüssels** wird es noch wichtiger, alle Vorbereitungen sorgfältig durchzuführen. Es ist nicht nur notwendig, **sich den Rhythmuswert jeder Note anzuschauen**, sondern auch, die **Tonart** und den damit verbundenen **Grundton zu bestimmen**.

Swing-Rhythmen
Der Swing-Rhythmus ist das, was die meisten mit dem Begriff „Jazz" und dem typisch lässigen Triolenfeeling verbinden. Der Jazz entwickelte sich Anfang des 20. Jahrhunderts aus dem Ragtime und Spiritual.

Es gibt viele Jazz-Formen: Dixieland, Blues, Traditional Jazz, Swing, Bebop und viele andere. Bei den meisten wird der Rhythmus flexibel notiert, da Jazz meist durch mündliche Überlieferung weitergegeben wird. Die Interpretation von „Jazz-Achteln" bildet den Schwerpunkt dieses Kapitels.

Today jazz quavers are notated as even quavers with the instruction to play them as a triplet figure but with the first one being the longer.

Notated:

and played:

It is usual for jazz players to **vocalise the rhythms** as this is the clearest way of interpreting the notation. As always, an **awareness of patterns** and **sequences** will always help in your reading and in the **shaping** of your **performance**.

Actuellement, en jazz, les croches sont notées comme des croches de valeur égale, avec pour instruction de les jouer comme s'il s'agissait de triolets, en prolongeant la première d'entre elles.

Notation :

exécution :

Les musiciens de jazz ont l'habitude de **vocaliser les rythmes**, façon la plus claire d'interpréter la notation. Comme toujours, avoir **conscience des motifs** et **séquences** vous aidera toujours dans votre déchiffrage et dans l'élaboration de votre interprétation.

Heute werden Jazz-Achtel als gerade Achtel notiert mit der Anweisung, sie als Triolen zu spielen, wobei die erste Note die längere ist.

Notation:

Spielweise:

Jazzmusiker **vokalisieren die Rhythmen** häufig, da das die beste Möglichkeit ist, die Notation zu interpretieren. Wie immer hilft es beim Lesen und **Vorbereiten** der eigenen **Performance, auf Patterns** und **Sequenzen zu achten**.

Performance directions used in this section:

Indications de jeu utilisées dans cette section :

Vortragsangaben, die in Teil 8 verwendet werden:

Con brio	with life	avec vivacité	lebendig
Semplice	simply	simplement	einfach
Sicilienne	a gentle movement in compound time	mouvement doux en mesure composée	eine sanfte Bewegung in eine zusammengesetzten Taktart

Key: A♭ major

Tonalité : *la*♭ majeur

Tonart: As-Dur

Count 1 + 2 + 3 + 4 +
before you begin

Comptez 1 + 2 + 3 + 4 +
avant de commencer

Zähle 1 + 2 + 3 + 4 +
bevor du anfängst

133.
Andante

Two pentatonic tunes

Deux airs pentatoniques

Zwei pentatonische Stücke

134.
Semplice

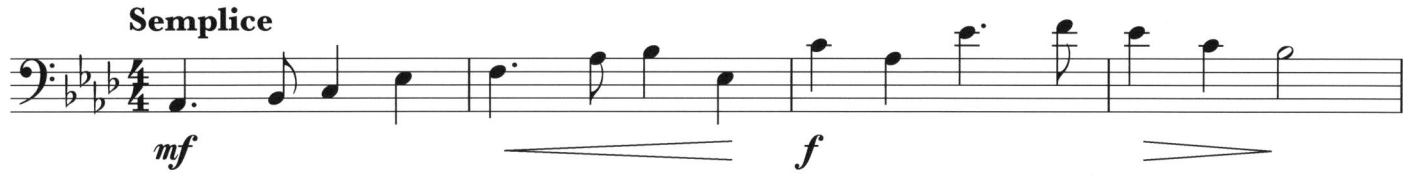

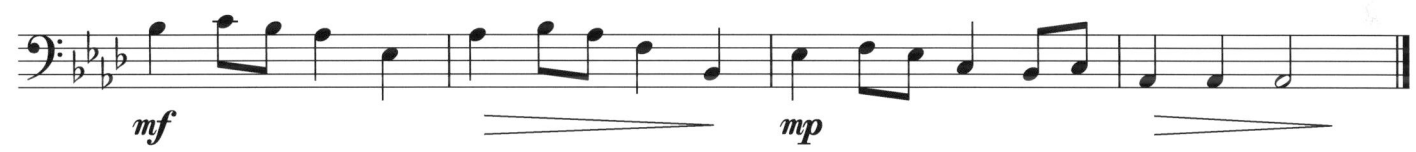

New note: low F

Nouvelle note : *la* grave

Neue Note: tiefen F

135.
Allegretto

New key: C# minor Nouvelle tonalité : do# mineur Neue Tonart: cis-Moll

New key: B major Nouvelle tonalité : si majeur Neue Tonart: H-Dur

139.

Dorian mode Mode dorien Dorischer Modus

140.

141.

Introducing the double sharp.
New key: G♯ minor

Introduction du double dièse.
Nouvelles tonalité : sol♯ mineur

Einführung des Doppelkreuzes.
Neue Tonart: gis-Moll

Introducing swing rhythms

Introduction du rythmes swing

Einführung des Swing-Rhythmen

Bright swing Swing brilliant Fröhlicher Swing

147.

Slow bluesy swing Swing lent, façon blues Langsamer bluesiger Swing

148.

149.

Sicilienne

Modal | Modalité | Modal

151.

Poco adagio

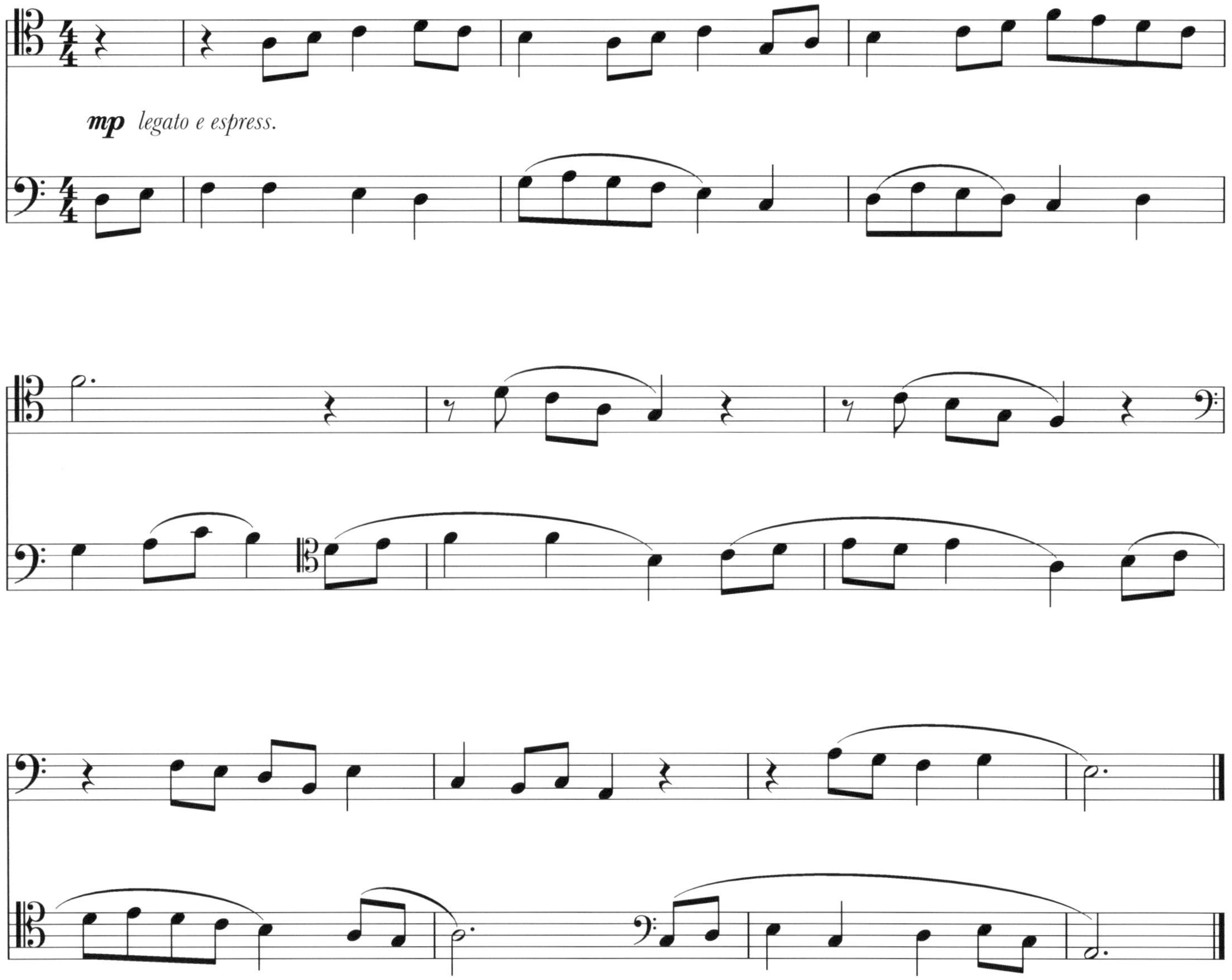
mp *legato e espress.*

Slow blues | Blues lent | Langsamer Blues

152.

mf
mf
3

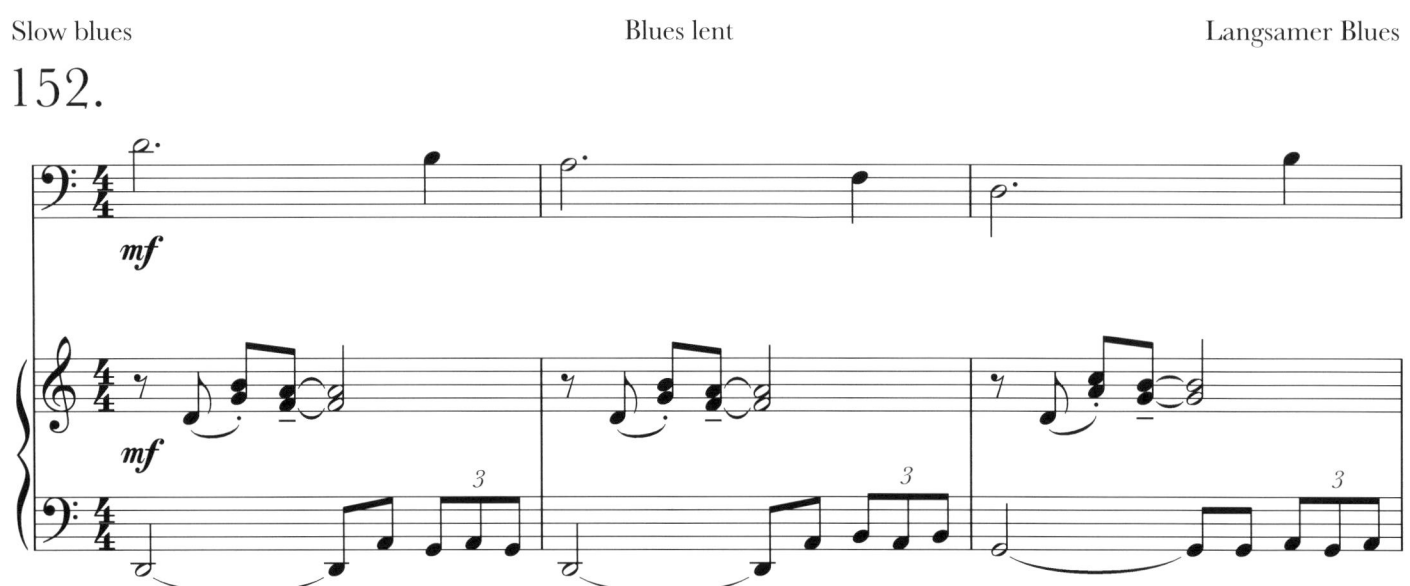

Section 9 – 5/8, 7/4 and 7/8 time. Keys of up to 5 sharps and flats

Section 9 – Mesures à 5/8, 7/4 et 7/8. Tonalités comportant jusqu'à 5 dièses ou bémols

Teil 9 – 5/8-, 7/4- und 7/8-Takt. Tonarten mit bis zu fünf Kreuzen und Bes

Section 9 concentrates on the keys with up to 5 sharps and flats with the introduction of **D♭ and B majors** and **B♭ and G♯ minors** together with the times of **5/8, 7/4** and **7/8**, and the **double sharp** (𝄪).

Aim to understand the make up of these irregular times, whether they consist of **4 + 3** or **3 + 4** note groups.

Careful preparation of the rhythms is essential as is the awareness of **patterns and sequences**.

Performance directions used in this section.

La section 9 se concentre sur les tonalités comportant jusqu'à 5 dièses et bémols avec l'introduction des tonalités de *ré♭ et si* majeur, *si♭ et sol♯* mineur, et du **double dièse** (𝄪) dans les mesures à **5/8, 7/4** et **7/8**.

L'objectif est de comprendre le fonctionnement de ces mesures irrégulières, qu'elles s'articulent en groupes de **4 + 3** ou de **3 + 4** notes.

Une préparation soigneuse des rythmes est essentielle au même titre que la prise de conscience des **motifs et séquences**.

Indications de jeu utilisées dans cette section :

In Teil 9 geht es hauptsächlich um Tonarten mit bis zu fünf Kreuzen und Bes. Außerdem kommen **Des- und H-Dur**, **b- und g-Moll**, die Taktarten **5/8, 7/4** und **7/8** und das **Doppelkreuz** (𝄪) hinzu.

Hier geht es darum zu verstehen, wie zusammengesetzte Taktarten aufgebaut sind; ob sie aus Notengruppen aus **4 + 3** oder **3 + 4** bestehen.

Eine sorgfältige Vorbereitung der Rhythmen ist genauso wichtig wie das Erkennen von **Patterns und Sequenzen**.

Vortragsangaben, die in Teil 9 verwendet werden:

| Poco lento | a little slowly | un peu lent | etwas langsam |
| Poco a poco dim. | quieter by degrees | progressivement plus calme | stufenweise leiser |

New key: D♭ major — Nouvelle tonalité : ré♭ majeur — Neue Tonart: Des-Dur

153.

154.

New key: B♭ minor   Nouvelle tonalité : si♭ mineur   Neue Tonart: b-Moll

155.

156.

New key: B major Nouvelle tonalité : *si* majeur Neue Tonart: H-Dur

157.

New key: G♯ minor Nouvelle tonalité : *sol*♯ mineur Neue Tonart: gis-Moll
Double sharp: F Double dièse : *fa* Doppelkreuze: F

158.

159.

Introducing 5/8-time Introduction de la mesure à 5/8 Einführung des 5/8-Takts

160.
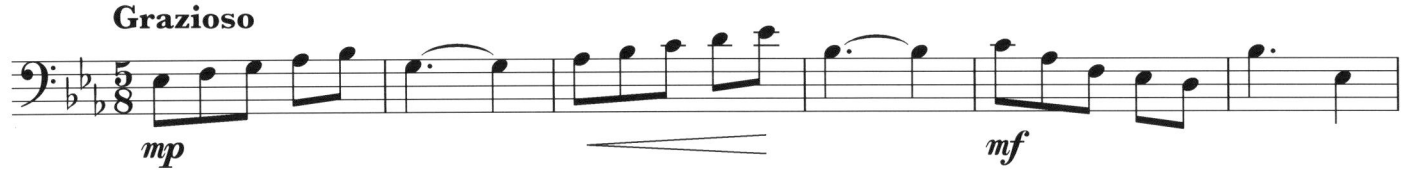

| Introducing 7/8 time | Introduction de la mesure à 7/8 | Einführung des 7/8-Takts |
| New note: C♭ | Nouvelle note : do♭ | Neue Note: Ces |

161.

| Introducing 7/4 time | Introduction de la mesure à 7/4 | Einführung des 7/4-Takts |
| New notes: C♭, F♭ and B double flat | Nouvelle notes : do♭, fa♭ et si double bémol | Neue Noten: Ces, Fes und Heses |

162.

163.

Andantino

mp cantabile e espressivo   poco a poco cresc.

f   poco a poco dim.

164.

Con moto

mf   *f*

mp   *f*

Medium swing [♫ = ♩³♪]   Swing medium [♫ = ♩³♪]   Medium Swing [♫ = ♩³♪]

165.

mf

mf

mf

f   *mf*

p

70

168.

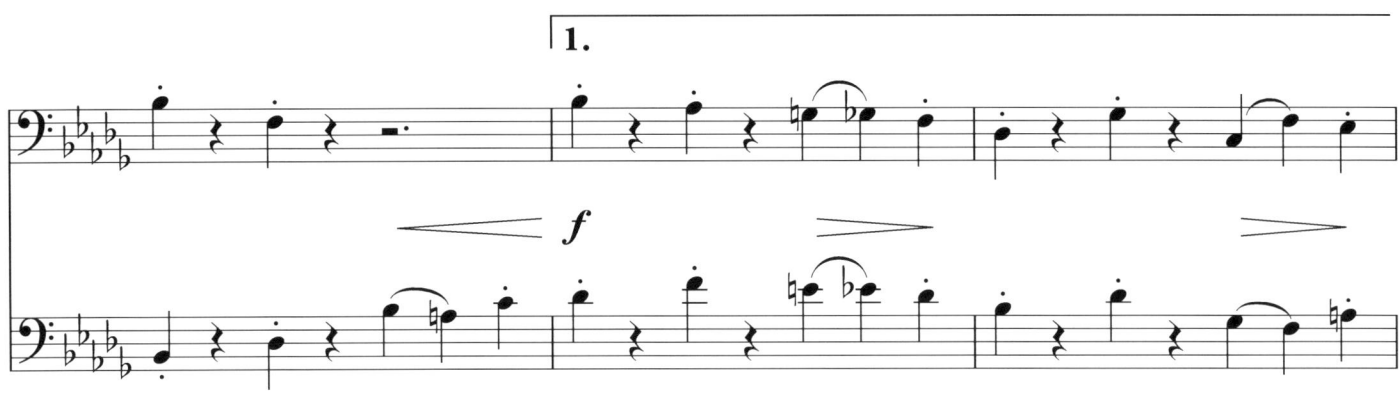

Swing   En swinguant   Im Swing-Takt

169.

poco a poco dim.

Jazz waltz — Valse jazz — Jazz-Walzer

170.

Section 10 – Various styles and modes in both bass and tenor clefs. The double flat

Section 10 – Styles et modes variés en clé de *fa* et en clé d'*ut* 4e. Double dièse

Teil 10 – Verschiedene Stile und Modi im Bass- und Tenorschlüssel. Das Doppel-Be

In Section 10, new tonalities are explored with the use of the **whole-tone scale** and further use of **chromaticism**. These will require careful reading as the **sounds may be unfamiliar** to you.

It is important that you play expressively and follow the tempo indications and marks of expression in order to give meaning and shape to the piece.

It remains **essential** that you **prepare** your reading both quickly and efficiently by looking at the **key signature, time signature, style and tempo**, and to check for **patterns and additional accidentals** that may occur.

Always aim to give a fluent and musical interpretation.

La section 10 permet d'explorer de nouvelles tonalités et de découvrir les **échelles par tons entiers** ainsi que de nouveaux **chromatismes**. **Ces sonorités ne vous sont peut-être pas familières** et nécessiteront donc une lecture attentive.

Il est important que vous jouiez de manière expressive et que vous suiviez le tempo et les indications d'expression afin de donner du sens et de l'allure à la pièce.

Il reste **essentiel** que vous **prépariez** votre déchiffrage à la fois efficacement et rapidement en observant l'**armure**, la **mesure**, le **style** et le **tempo**, et que vous repériez la présence d'éventuels **motifs récurrents** et **altérations accidentelles**.

Veillez à toujours donner fluidité et musicalité à votre interprétation.

In Teil 10 kommen mit der **Ganztonleiter** und weiteren Verwendungsmöglichkeiten der **Chromatik** neue Tonalitäten hinzu. Hier ist sorgfältiges Lesen erforderlich, da **diese Klänge vielleicht ungewohnt** sind.

Du solltest auf jeden Fall ausdrucksvoll spielen und die Tempo- und Vortragsangaben befolgen, um das Stück interessant zu gestalten.

Auch hier ist es **äußerst wichtig**, dass du das Stück schnell und effizient **vorbereitest**, indem du dir **Tonart, Taktart, Stil und Tempo** anschaust und im Stück nach Patterns und zusätzlichen Versetzungszeichen Ausschau hältst.

Dein Ziel sollte immer eine flüssige und musikalisch ausdrucksvolle Interpretation sein.

Performance directions used in this section.   *Indications de jeu utilisées dans cette section :*   *Vortragsangaben, die in Teil 10 verwendet werden:*

Chromatic	using all 12 semitones	Utilise tous les demi-tons	verwendung aller zwölf Halbtöne
Con moto e rubato	with movement and some holding back in the tempo for expression	avec mouvement et en retenant légèrement le tempo pour l'expression	bewegt und zwecks Ausdruck das Tempo zurücknehmen
Dim. e rit.	quieter by degrees and holding back the tempo	progressivement plus calme et en retenant le tempo	stufenweise leiser und das Tempo zurücknehmen
Habanera	a dance form originating in Spain	forme de danse originaire d'Espagne	ein Tanz, der aus Spanien stammt
Legato	smoothly	lié	gebunden
Rall. e dim.	gradually slower and quieter	progressivement plus lent et plus calme	allmählich langsamer und leiser

171.

172.

Medium swing — Swing medium — Medium Swing

173.

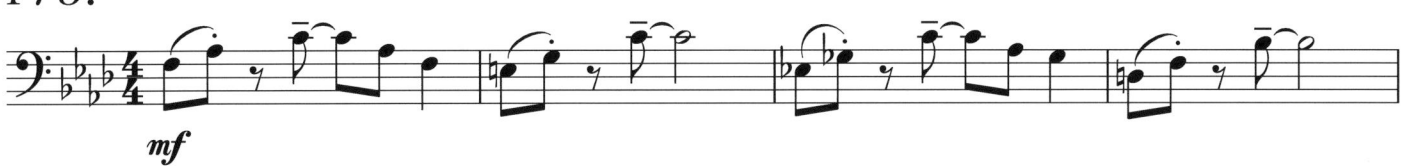

mf

f

mp

f

Sentimentally — Sentimentalement — Gefühlvoll

174.

mp molto legato e espressivo

Medium swing / Swing medium / Medium Swing

175.

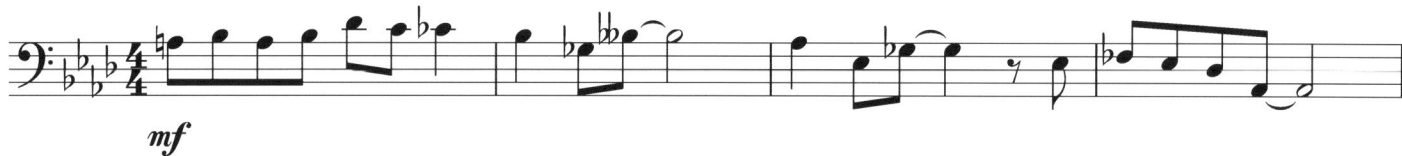

Modal / Modalité / Modal

176.

78

Slow ballad　　　　　　　　　À la manière d'une ballade lente　　　　　　　Im Stil einer langsamen Ballade

179.

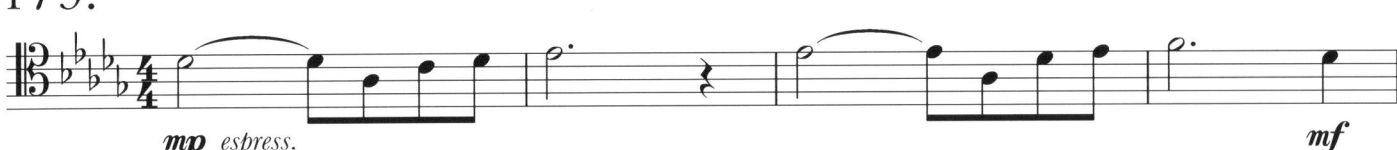

Chromatic　　　　　　　　　Mouvement chromatique　　　　　　　　　Chromatische Passage

180.

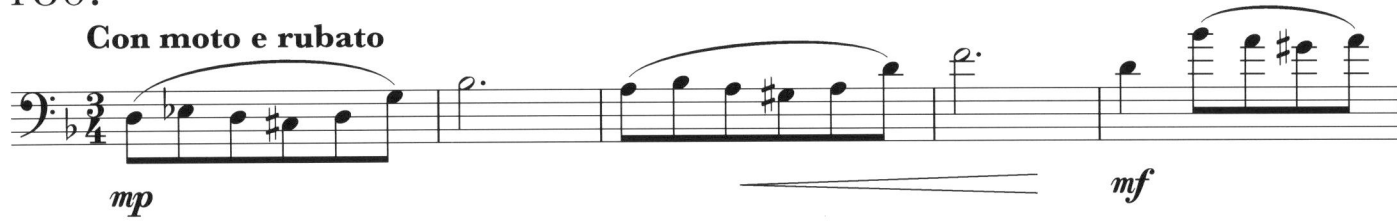

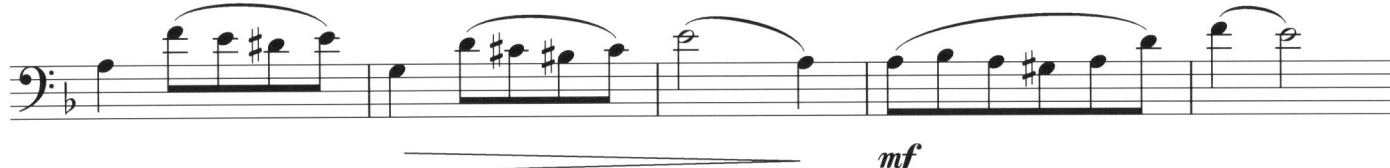

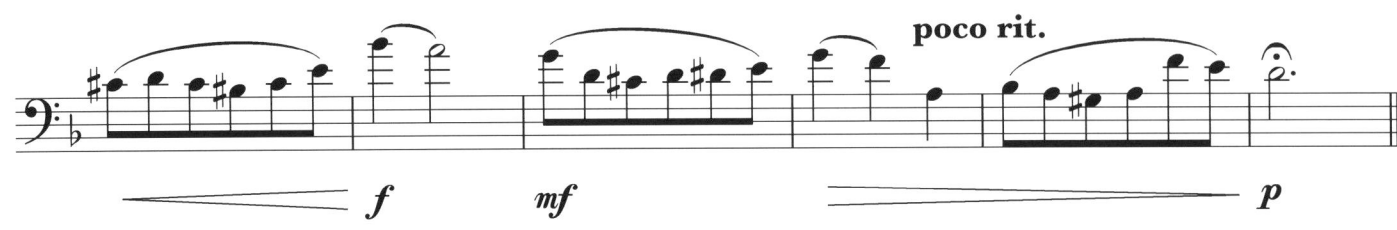

181.

Whole tone   Ton entier   Ganzton

182.
Moderato

183.
Dolce

Modal   Modalité   Modal

184.
Semplice

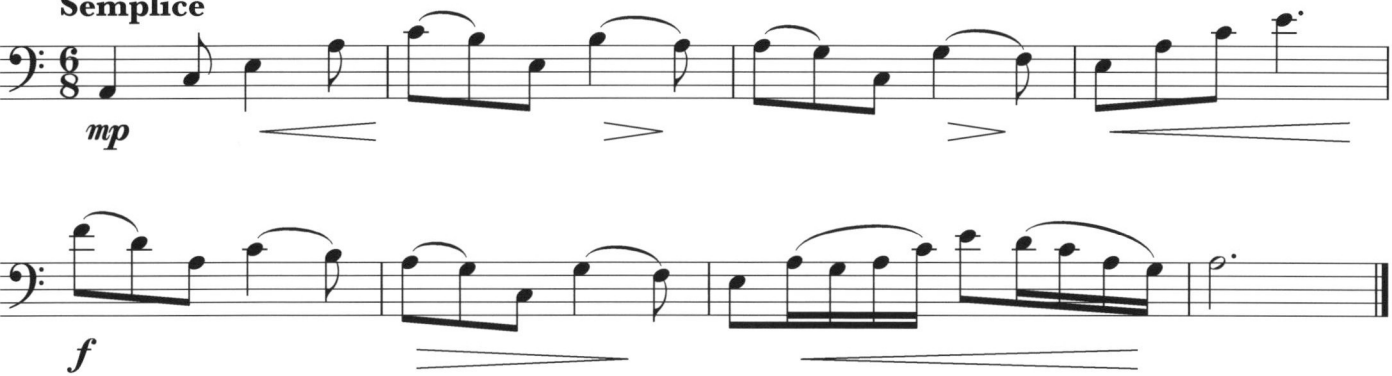

187.

Jazz waltz — Valse jazz — Jazz-Walzer

188.

Section 11 – All keys and all styles. Full range of notes and tonalities

Section 11 – Éventail complet des notes. Des styles et des tonalités

Teil 11 – Alle Tonarten und Stile. Gesamter Tonumfang und alle Tonarten

In this final section styles will range from **Classical to Atonal** using the full range of the instrument and both the **bass and tenor clefs**.

Atonal music has no fixed tonality and can sometimes consist of a **tone row** – a series of 12 pre-determined notes to make use of **all 12 semitones** in **sequence** but with varied time and rhythms.

Always try to hear as much of the **pitch** as possible when scanning the piece. **Vocalisation** is a useful way to prepare the rhythms and this is particularly useful in **jazz and swing styles**.

Always scan the piece **for patterns, sequences, additional accidentals** and for any **unusual features** as well as for **key signature, time signature, rhythms** and assessing the **overall style** of the piece before you attempt to play it.

Always play expressively and musically.

Dans cette dernière section, les styles représentés vont **du classique à la musique atonale**, en utilisant **toute l'étendue** de l'instrument ainsi que les **clés de *fa* et d'*ut* 4e**.

La musique **atonale** n'a pas de tonalité fixe et peut parfois se fonder sur une échelle de sons – une série de 12 notes prédéterminées faisant appel aux **12 demi-tons** organisés en **séquences** sur des mesures et des rythmes variés.

Efforcez-vous **toujours** d'entendre l'intonation lorsque vous lisez la pièce. **Lire** les rythmes **à haute voix** est utile pour leur préparation, tout particulièrement lorsqu'il s'agit de **jazz ou de swing**.

Lorsque vous lisez la pièce, veillez **toujours** à repérer la présence de **motifs, séquences, altérations accidentelles** et autres **éléments inhabituels**, notez bien les **altérations à la clé, la mesure et les rythmes**, et évaluez le **style général** de la pièce avant de vous lancer dans son interprétation.

Veillez toujours à l'expressivité et la musicalité de votre interprétation.

In diesem letzten Teil findest du Stilrichtungen von der **klassischen bis zur atonalen Musik**, wobei der **gesamte Tonumfang** des Instruments und sowohl der **Bass- als auch der Tenorschlüssel** verwendet wird.

Atonale Musik hat kein festgelegtes tonales Zentrum und besteht manchmal aus einer **Tonreihe** – einer Anordnung aus zwölf Tönen, die **alle zwölf Halbtöne** der chromatischen Tonleiter enthalten und **nacheinander** in verschiedenen Taktarten und Rhythmen verwendet werden.

Versuche beim Durchgehen des Stückes **immer**, die Tonhöhe so gut wie möglich zu hören. Das **Vokalisieren** ist eine nützliche Methode, um die Rhythmen vorzubereiten, insbesondere bei **Jazz- und Swingstücken**.

Überprüfe **immer**, ob das Stück **Patterns, Sequenzen, zusätzliche Versetzungszeichen** und andere **Besonderheiten** enthält. Sieh dir außerdem **Tonart, Taktart und Rhythmen** an und bestimme den **Stil** des Stückes, bevor du versuchst, es zu spielen.

Spiele immer ausdrucksvoll und musikalisch.

Slow waltz — Valse lente — Langsamer Walzer

189.

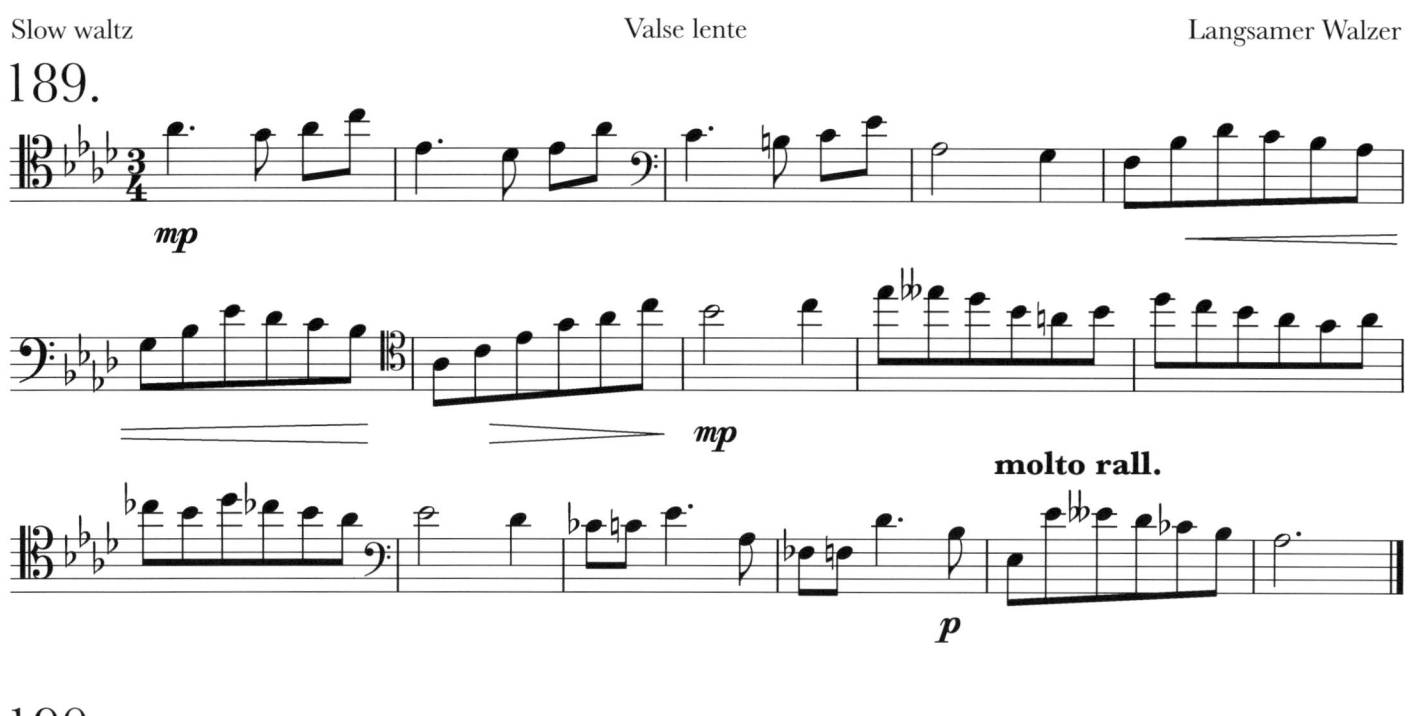

190.

Medium swing — Swing medium — Medium Swing

191.

Whole tone / Ton entier / Ganzton
Slow waltz / Valse lente / Langsamer Walzer

192.

Up-beat / Levée / Fröhlich

193.

Easy swing — Swing décontracté — Leichter Swing

196.

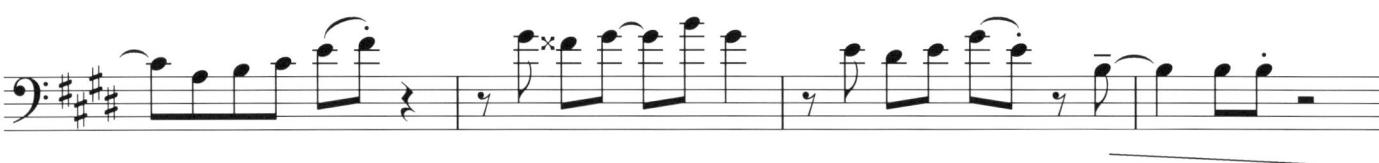
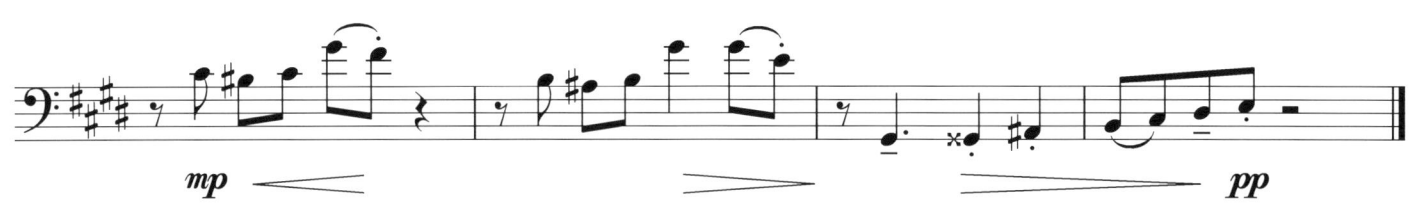

Chromatic — Mouvement chromatique — Fröhlich
With an easy swing feel — Avec une sensation de swing décontracté — Mit lockerem Swing-Feeling

197.

Atonal
Tone row

Atonalité
Échelle de sons

Atonal
Tonreihe

198.

199.

Swing 16ths – Funk style

Double croche swing – Styles funk

Swing-Sechzehntel – Funk-Stile

200.

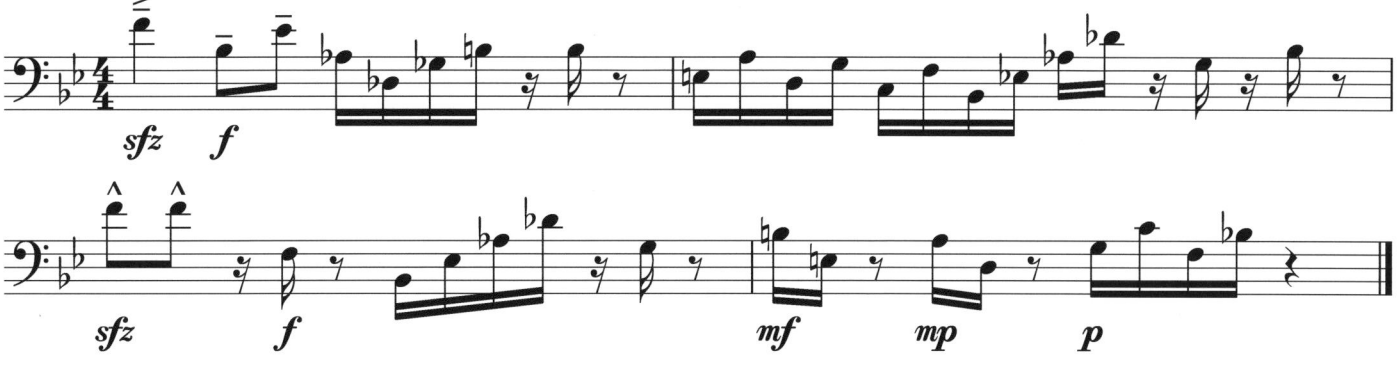

201.

Ritmico

202.

Swing   En swinguant   Im Swing-Takt

Moderato

203.

Medium swing — Swing medium — Medium swing

204.

205.

Fast swing (♩ = *c.* 144)
After the style of Kai and JJ

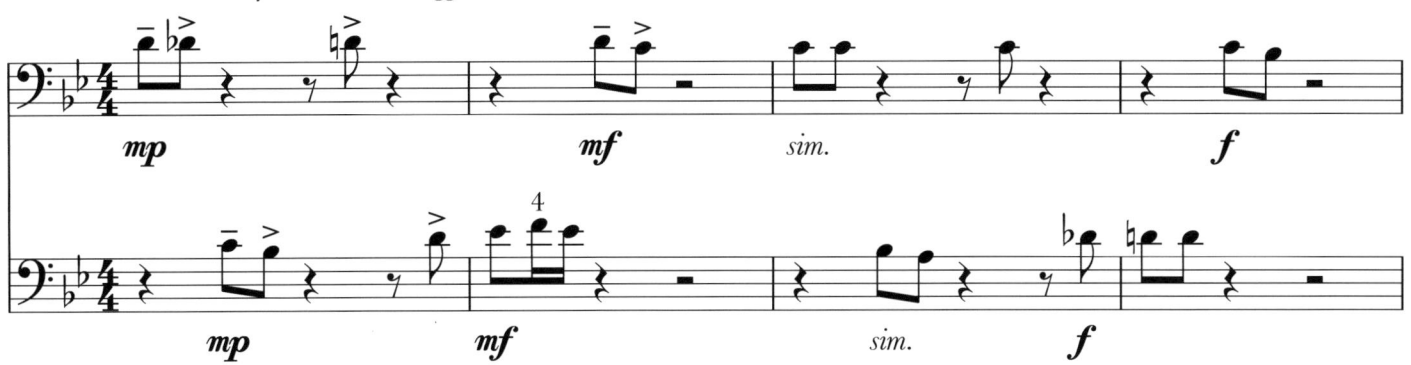

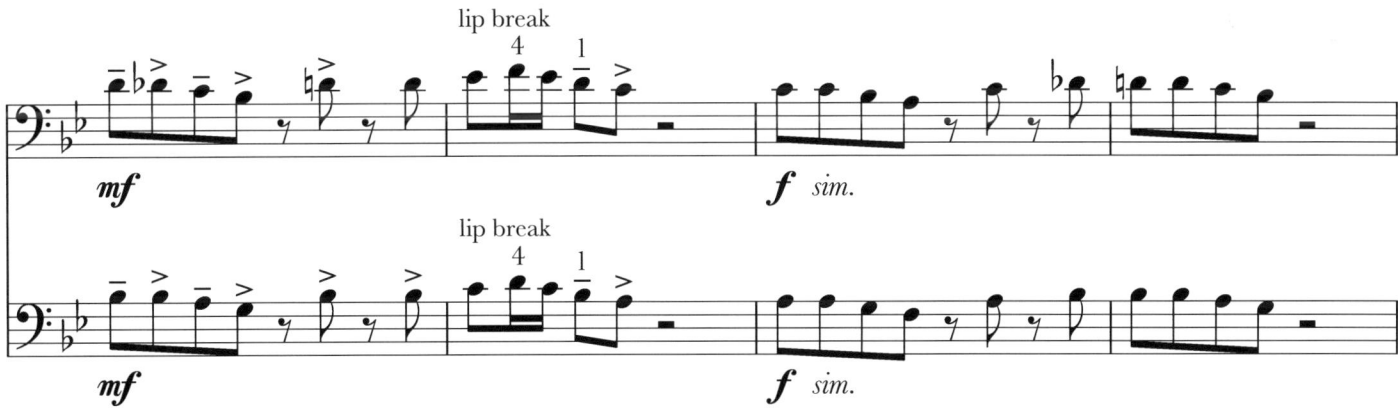
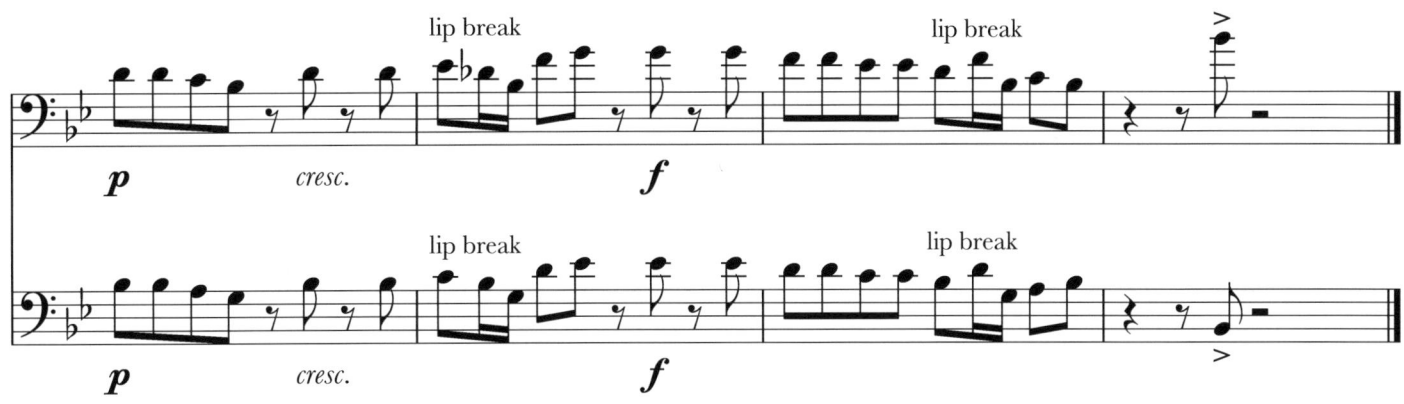

206.

Bossa Nova